Chili

Chili

Marcel Bayer

Chili 995

KIT Publishers / Oxfam Novib / 11.11.11

LANDENREEKS

Marcel Bayer is publicist en als docent verbonden aan de Hogeschool Utrecht, School voor Journalistiek. Hij bezocht Chili de afgelopen decennia meerdere keren.

Omslagfoto: Ron Giling/Lineair.
Wijn is een van de succesvolste exportproducten van Chili.

KIT Publishers
Mauritskade 63
Postbus 95001
1090 HA Amsterdam
E-mail: publishers@kit.nl
www.kit.nl/publishers
www.landenreeks.nl

© 2008 KIT PUBLISHERS – Amsterdam

Eindredactie: Hans van de Veen/Bureau M&O, Amsterdam
Kernredactie: Karolien Bais, Marcel Bayer, Robbert Bodegraven, Lianne Damen, Damir Gojkov, Ineke van Kessel, Karel Onwijn, Hans van de Veen
Vormgeving en opmaak: Henny Scholten, Amsterdam
Cartografie: © Geografiek, Willem van den Goorbergh, Utrecht
Productie: Meester & De Jonge, Lochem
Foto's binnenwerk: Lineair
Lithografie: High Trade, Zwolle

De Landenreeks is een gezamenlijke uitgave van KIT Publishers, Oxfam Novib en 11.11.11. (België). In de Landenreeks verschijnen titels over landen in Azië, Afrika, het Midden-Oosten, Europa, Latijns-Amerika en het Caribisch gebied. Bezoek de speciale website voor actuele informatie over de leverbare en nieuw te verschijnen titels: www.landenreeks.nl of www.landenreeks.be.
Delen uit de Landenreeks zijn verkrijgbaar in de boekhandel of kunnen besteld worden via www.kit.nl/publishers (Nederland) of www.11.be/winkel (België).
Wie een abonnement neemt op de Landenreeks (7 delen per jaar), krijgt elk deel met korting thuisgestuurd. Abonnementen zijn te bestellen via Oxfam Novib (Nederland) of 11.11.11 (België).

Oxfam Novib	11.11.11 uitgeverij
Postbus 30919	Vlasfabriekstraat 11
2500 GX Den Haag	1060 Brussel
www.oxfamnovib.nl/webwinkel	www.11.be/winkel

ISBN 978 90 6832 456 3
NUR 515/900

Inhoud

De Mapuches, de grootste en oudste bevolkingsgroep in het zuidelijke deel van Chili, zijn legendarisch door hun taaie verzet tegen zowel de Inca's als de Spaanse veroveraars. De Río Bío Bío gold eeuwenlang als de grens tussen het leefgebied van de Mapuches en de kolonie Chili. Met grote moeite lukte het de patriotten van de republiek Chili uiteindelijk de strijdvaardige indianen eronder te krijgen. De Mapuches leden enorme verliezen en behielden niet meer dan 5 procent van hun oorspronkelijke leefgebied.

Anders en gewoon Latijns-Amerika

In vele opzichten is Chili een apart land in Zuid-Amerika. In de aller-
eerste plaats natuurlijk door z'n uitzonderlijk vorm: langgerekt en smal.
Juist door die vorm is er aan deze kant van de globe geen land te beken-
nen dat zo'n grote verscheidenheid heeft aan klimatologische omstandigheden en landschappen. Helemaal in het noorden ligt het droogste
gebied ter wereld, de Atacama-woestijn. In het zuiden liggen Chileens
Patagonië en Vuurland, een gebied van uitgestrekte bosgebieden, afge-
wisseld door schuivende gletsjers en door ijs uitgeslepen fjorden. De
natuurkrachten hebben gezorgd voor een fantastisch decor. Van noord
naar zuid loopt het hoogland van de Andes met eeuwig besneeuwde
rotspieken, de hoogste op het Amerikaanse continent, en met bijkans
ontelbare vulkanen. Een apocalyptisch landschap, waar soms het einde
der tijden nabij lijkt als diezelfde natuurkrachten de aarde zo sterk
doen beven dat alles wat mensen hebben gebouwd instort en vloedgolven de resterende ruïnes verzwelgen. De Chilenen leven met de natuurkrachten en moeten dat ook wel. Gemiddeld 400 keer per jaar is er wel
ergens een aardbeving.

De kolonisatie verliep eveneens anders dan in andere delen van Zuid-
en Midden-Amerika. De Spaanse *conquistadores* bouwden slechts één
grote stad, Santiago, van waaruit zij het gebied achter de Andes probeerden te besturen. De weerbarstige omgeving in het noorden was
aanvankelijk niet interessant, en in het zuiden konden de Spanjaarden
de taaie Mapuches niet de baas. Zij waren een van de weinige inheemse bevolkingsgroepen die stand hielden tegen de Europeanen. Pas in
de 19de eeuw kwam er vaart in de economische ontwikkeling in het
noorden en in het zuiden van het land. In het noorden vanwege de
mijnbouw, in het zuiden vanwege de landbouwmogelijkheden en de
bosbouw. Grote buitenlandse multinationals die de export gaan beheer-
sen, het is geen onbekend fenomeen in Midden- en Zuid-Amerika. Net
als in Zuid-Brazilië, Uruguay en Argentinië waren het vooral Europese
kolonisten die de moderne ontwikkeling op gang brachten.

In politiek opzicht was en is Chili zeker geen buitenbeentje. De tot-
standkoming van de moderne natie ging ook hier in de 19de eeuw
gepaard met felle strijd om de macht tussen de conservatieven en de

liberalen. Sterke mannen, die de democratische krachten van zich ver-
vreemden, en wankele democratische regeringen wisselden elkaar af.
De 20ste eeuw vertelt het verhaal van toenemende polarisatie, deels
onder invloed van ideologische tegenstellingen, deels door de hardnekkige tegenstellingen in de Chileense samenleving zelf.

De 'stille revolutie' die de socialistische president Salvador Allende in
de jaren zeventig dacht te realiseren, was geen unicum in Zuid-Amerika;
hetzelfde geldt voor de staatsgreep van de militairen die daar op volgde. Chili kwam terecht in het rijtje dictatoriaal geregeerde landen, waar
mensenrechten met voeten werden getreden. De democratisering sinds
de jaren negentig past ook in het plaatje in dit deel van de wereld.

Wel is het opmerkelijk hoe de samenleving sindsdien is veranderd.
Motor daarachter is vooral de open economie. Chili voert al bijna dertig
jaar een liberaal economisch beleid. Er zijn weinig andere landen in dit
deel van de wereld zo afhankelijk van de export. De grenzen staan wijd
open voor buitenlandse investeringen. Dat doet zeer, vooral waar traditionele bedrijvigheid te maken krijgt met concurrentie van moderne
ondernemingen. De kleine man en vrouw voelen de effecten van de
economische neergang op de wereldmarkt direct in hun portemonnee.
Maar het brengt ook kansen. De modernisering in de landbouw, de visserij en de mijnbouw laten dat zien. Het zijn niet alleen grote buitenlandse bedrijven die profiteren van de open economie.

Het recente verleden – de militaire dictatuur, de Vuile Oorlog – blijft
opspelen, zoals bleek tijdens de begrafenis van voormalig juntaleider
Augusto Pinochet in december 2006. De samenleving is nog altijd diep
verdeeld over de vraag wat de betekenis van de dictatuur is geweest.
De misdaden van de beulen en hun opdrachtgevers zijn inmiddels uitgebreid beschreven. De berechting van de schuldigen blijft echter een
uiterst gevoelig onderwerp, waar de regering en de Congresleden hun
vingers liever niet aan branden. Die forse steen op de maag zit de
daadwerkelijke verzoening in de weg. Dat is in Chili niet anders dan in
verschillende andere landen in Latijns-Amerika.

Dunbevolkt en vergrijzend

Achttien keer groter dan Nederland, met een ongeveer gelijke omvang van de bevolking. Chili is een dunbevolkt land, zeker wanneer ook in aanmerking wordt genomen dat tweederde deel van de Chilenen woont in het centrale deel van het land. Dat is het gebied dat ruwweg loopt van Copiapó in het noorden tot Concepción in het zuiden, en dat nog geen vijfde deel van het grondgebied beslaat. Verder naar het noorden en zuiden is Chili vooral een leeg land, waar de natuur de baas is. De Chileense bevolking 'ontgroent' en vergrijst daarbij ook nog eens. Het afnemend aandeel van jongeren en de bevolkingsopbouw is voor de Chileense overheid een bron van zorg.

Afnemende groei

Omvang bevolking
    1995: 14,2 miljoen
    2007: 16,6 miljoen
    2050: 20,7 miljoen (prognose)
Bevolkingsgroei: 1% (gem. 2005-2010)
Levensverwachting: mannen 75,5 jaar; vrouwen 81,5 jaar
Aantal kinderen per vrouw: 1,94
Zuigelingensterfte (per 1.000): 7
Bron: UNFPA 2007

Een bizar land

Geografisch gezien is Chili een bizar land. Alleen al de vorm is absurd: zo'n 4.500 km lang, op sommige plaatsen nauwelijks 100 km en nergens breder dan 150 km breed. De klimatologische omstandigheden en landschappelijke contrasten kunnen nauwelijks groter: de kurkdroge Atacama-woestijn in het noorden, vruchtbare valleien in het centrum, oogverblindend mooie meren aan de voet van reusachtige vulkanen, en in het zuiden een spectaculair arctisch landschap van gletsjers, meren en ruige rotsgebieden.

Zoals het land is ingeklemd tussen de Stille Oceaan en de Andes, afgesloten door de woestijn en de gletsjers, had het lange tijd een geïsoleerde positie. Wie wilde hier nou leven? Tot de 18de eeuw voornamelijk nomadische volkeren, afkomstig uit het hoogland of de Patagonische vlakte. De Mapuche waren de eersten die er op grote schaal permanent gingen wonen. Na de *conquista* trokken Spaanse families en avonturiers over de Andes om er bestuursfuncties op zich te nemen, of om hun geluk in de handel of veeteelt te beproeven. Pas 200 jaar geleden nam de kolonisatie serieuze vormen aan. Inmiddels is een groot deel van het land in gebruik voor mijnbouw, bosbouw, landbouw of visserij. Tot in de meest onherbergzame uithoeken zijn kolonisten neergestreken, of zijn handels-, wetenschappelijke- of douaneposten gevestigd.

De Atacama-woestijn

Het noorden van Chili bestaat uit twee gortdroge gebieden: de Atacama-woestijn en de Pampa del Tamarugal. In de luwte van het hoge Andes-gebergte, dat de oostenwind tegenhoudt, en achter de koude Humboldt-stroom, is de droogste plek op aarde ontstaan. Er groeit nauwelijks iets en het leven is beperkt tot wat insecten en groepen flamingo's, die zich te goed doen aan de algen in de *salares*, de zoutmeertjes. Die merendeels ondiepe poelen krijgen hun water incidenteel door een beetje regenval of van de gletsjers in het hooggebergte. De verdamping is sterker dan de aanvoer van vers water, zodat het water zeer zout is geworden. Op sommige plekken is het meertje helemaal verdampt en zijn alleen witte zoutkristallen achtergebleven. Het ruige landschap van dorre vlaktes, restanten van vulkanisme, salares en grillige rotspartijen biedt een desolate aanblik. Naar het oosten en noorden toe gaat de woestijn over in de Altiplano van Bolivia en Argentinië, één van de vulkanisch meest actieve gebieden ter wereld.

Uit recent onderzoek is gebleken dat de extreme droogte al zo'n twintig miljoen jaar duurt. Op sommige plaatsen heeft het zolang de mensheid bestaat nog nooit geregend. Wetenschappers gaan ervan uit dat de Atacama is gevormd toen ook de doorgang tussen Zuid-Amerika en Antarctica ontstond. Die enorme tektonische krachten zorgden voor het omhoog komen van zeer koud oceaanwater voor de westkust van Chili. Door die

Humboldtstroom condenseert de oceaanlucht al voor de kust en is het op het land overwegend droog.

De Andes

Alles bepalend in het landschap is de machtige Cordillera de los Andes, die van noord naar zuid de grens vormt met Bolivia en Argentinië. De toppen zijn het hoogst in het noordelijke deel. Met 6.959 m is de Aconcagua de hoogste berg op het westelijk halfrond. Hij ligt net over de grens in Argentinië. De hoogste piek in Chili is de Nevado Ojos del Salado (6.893 m) en de hoogste vulkaan is de Llullaillaco (6.739 m). In totaal zijn er meer dan 2.000 vulkanen, waarvan bijna de helft op de een of andere manier actief.

De Andes bestaat hoofdzakelijk uit lange evenwijdige noord-zuidketens, vrijwel zonder dwarsdalen. Diepe dalen zijn wel te vinden tussen hoge bergketens of op uitgestrekte hoogvlaktes. Doordat Chili zich aan de instabiele westrand van het Zuid-Amerikaanse continentale plateau bevindt, komen er in vooral in het midden en zuiden van het land veel aardbevingen voor. Ook liggen in dit gebied honderden vulkanen, zoals de Tronador, de Fitz Roy en de Maipo.

Van noord naar zuid is de Andes landschappelijk te verdelen in vier zones:
De **Noordelijke Andeshoogvlakte of Altiplano.** Door de grote vulkanische activiteiten is dit gebied opgevuld met aslagen en vulkanische gesteenten. De gemiddelde hoogte bedraagt hier ca. 4.000 m. De Andes is hier op z'n breedst, soms 600 km van west naar oost, en bezaaid met deels nog actieve vulkanen.
De **Centrale Andes.** Dit zeer hoge gedeelte van de Andes is opgebouwd uit vulkanische gesteenten, maar kent geen actieve vulkanen meer. Zeer opvallend zijn de grote hoogteverschillen in dit gebied. Vanaf Santiago, op 500 m hoogte, rijst het gebergte binnen 50 km steil omhoog. In deze zone vind je de Aconcagua, de Tupungato (6.800 m) en de Mercedario (6.770 m).
De **Andes van het 'merengebied'** is hier veel lager en bestaat uit een door gletsjers gevormd merenlandschap en veel, vaak nog actieve vulkanen

(tot 3.600 m hoog). Een van de meest spectaculaire is de Volcán Osorno (2.652 m hoog), die met z'n brede mantel aan het Lago Llanquihue staat. Ten oosten van de stad Temuco vinden we de Volcán Llaime, met 3.125 m één van de hoogste in Chili en zeker de meest actieve. Gedurende de 19de en 20ste eeuw vonden bij deze vulkaan maar liefst 49 erupties plaats. De meest recente, waaronder de laatste in 2003, hebben voor een bizar lavalandschap gezorgd.

De **Andes van Patagonië en Vuurland** (tot 4.000 m hoogte) grenst direct aan zee met steile bergwanden en diepe fjorden. De vulkanen in de Patagonische Andes zijn niet meer erg actief. Het landschap is vooral bepaald door gletsjererosie in de vier ijstijden van het Pleistoceen. In het oosten slepen de gletsjers grote bekkens uit: hierdoor ontstonden de grote randmeren van de Patagonische Andes, o.a. het Lago General Carrera en het Lago Argentino. De Patagonische Andes wordt nog steeds bedekt door twee grote ijskappen.

De Centrale Laagvlakte

Van noord naar zuid, tussen de Andes en het minder hoge kustgebergte, loopt de Valle Central. Deze in breedte variërende vallei is vanouds het hart van de Chileense samenleving, met name op de plek waar rivieren het land vruchtbaar hebben gemaakt. Dat is ter hoogte van de hoofdstad Santiago en vooral ten zuiden ervan. Tot aan Puerto Montt vormt de Centrale Vallei het hart van de plattelandseconomie. Eerst rij je door de valleien met uitgestrekte wijngaarden, vervolgens langs de boomgaarden en fruitplantages. Nog verder naar het zuiden bepalen veeteelt en bosbouw het beeld.

Fjorden en eilanden

Ten zuiden van Puerto Montt, met recht de laatste echte stad in Zuid-Chili genoemd, breekt het landschap open. Het kustgebergte valt hier als het ware uiteen in tientallen eilanden, groot en klein, met een golvend landschap. De brede vallei, de voortzetting van de Valle Central, uitgeslepen en naar beneden gedrukt door de zware gletsjers, is na het terugtrekken van het ijs ondergelopen. Zo is de binnenzee, Mar Interior, ontstaan. De kust van het vasteland bestaat uit fjorden, die precies liggen op de breuklijnen in de aardkorst waardoor ook de rij vulkanen van noord naar zuid is ontstaan: de Hornopirén, Huequi, Michinmahuida, Corcovado en Nevado.

Leven met natuurgeweld

De Chileense bevolking heeft leren leven met de dreiging van vulkaan-uitbarstingen, aardbevingen en tsunami's. Door de geschiedenis heen hebben grote natuurrampen complete steden en kustgebieden weg-gevaagd. In de afgelopen eeuw waren de aardbevingen van 1939 en van 1960 het meest verwoestend. De eerste trof vooral de stad Temuco, waar 20.000 doden vielen, de tweede Valdivia. In het geval van de laatste was het vermoedelijke de zwaarste aardbeving die in de moderne tijd is gemeten. De datum 22 mei 1960 staat de inwoners van Valdivia in het geheugen gegrift. Midden op de dag, rond 15 uur, beefde de aarde zo sterk, dat de grond enkele meters (!) wegzakte. De bebouwing schudde op de grondvesten, mensen die op straat waren werden tegen heet plaveisel gesmakt. Seismologen registreerden een beving van 12 op de schaal van Richter. Hoger kon toen niet. Maar de grootste cata-strofe moest nog komen. Vloedgolven van 12 meter hoog beukten op de kust en drongen 25 km diep de vallei van de Río Valdivia binnen. De stad werd compleet overspoeld. Ruim duizend mensen vonden de dood onder vallend puin, of verdronken. Vrijwel alle gebouwen waren weg-gevaagd of zwaar beschadigd. De plaatselijke economie was verwoest. Zo'n beetje elke stad in Chili heeft z'n portie natuurgeweld gehad. Op-merkelijk was het extreme weer dat Antofagasta trof in de nacht van 17 op 18 juni 1991. Er viel toen meer water dan normaal in tien jaar tijd. De bodem in dit meestal droge gebied was snel verzadigd. Het vele water, vermengd met het droge puin aan de oppervlakte, veranderde in een modderstroom die dood en verderf zaaide. De bevolking werd in de slaap verrast. Ruim honderd mensen vonden de dood.

Verder naar het zuiden loopt Chili door achter de Andesketen. Dit is ongetwijfeld het meest spectaculaire gebied met bijna twintig nationale parken en natuurreservaten. Er zijn vulkanen, merengebieden en uitge-strekte wouden, fjorden die diep het land insnijden, ruige bergen, ruisende rivieren, gletsjers en eindeloze ijsvelden. De gletsjer San Rafael is een hoogtepunt, maar ook de route langs Lago General Carrera en de trektochten tot bij de Noordelijke en Zuidelijke IJsvlakte. De laatste vormt een ondoordringbare barrière. Het is een ervaring op zich, de reis door uitgestrekte wouden, langs ruige rotsformaties en onmetelijke ijsvelden. Op vele plekken ben je als reiziger volledig één met de natuur en vaak heb je de indruk naar het eind van de wereld te rijden.

Mysterieus Paaseiland

Net als Patagonië met de onmetelijke ruimte en de glaciale landschappen, spreekt Paaseiland tot de verbeelding. Allereerst natuurlijk vanwege de bizarre hoofden, de *moai*. Maar ook het ontstaan en de ligging, en het feit dat het al eeuwenlang is bewoond, roepen beelden op van mysteries en bijzondere gebeurtenissen.

Paaseiland, Rapa Nui zoals de bevolking het noemt, is een vulkanische formatie. Het eiland barst van de kraters, maar de belangrijkste was de eerste: Poike. Die zorgde er 3,5 miljoen jaar geleden voor dat de gigantische rots zo'n 3.000 m van de oceaanbodem kon oprijzen. Wat we boven water zien is maar een top je van de vulkaanmantel. Later hebben nieuwe vulkaanuitbarstingen het eiland nog meer massa gegeven en is de huidige driehoekige vorm ontstaan. Twee andere forse kraters zijn Rano Kau in het zuidwesten en Rano Aroi in het noorden.

De vulkanische formaties tezamen met het milde klimaat, door de ligging midden in de oceaan, zorgen voor een verrassend landschap. Ruige rotsen van vulkanisch gesteente, glooiende weilanden, eucalyptuswouden en fruitplantages wisselen elkaar af. Paaseiland is, net als het zuidelijkste stuk van Patagonië en Vuurland, een fascinerende plek qua klimaat. Het regent er veel en stevig, maar binnen enkele minuten kan de hemel openbreken. Van grijs en grauw verandert de lucht dan in felblauw met oogverblindend zonlicht.

Paaseiland is door Polynesische volkeren bewoond. Vermoedelijk ergens rond het begin van onze jaartelling kwamen de eerste mensen aan, op zoek naar vruchtbare gronden. De oudste vondsten op het eiland dateren uit de vijfde eeuw n.Chr. Ze verwijzen naar de dodencultus, die een centrale plaats in het leven van de eilandbewoners innam. De *ahu*, grafheuvels, en de *moai*, de reusachtige torso's in basaltsteen van hun voorouders en goden, zijn voornamelijk aan de zuid- en oostkant van het eiland te vinden. De moai zijn met het gelaat binnenwaarts gericht, alsof ze waakten over de bewoners. Hanga Roa is de hoofdplaats op het eiland, waar ruim de helft van de ongeveer 3.500 eilandbewoners woont. Bijna driekwart stamt nog af van de oorspronkelijke bewoners. Ze leven in hoofdzaak van het toerisme.

Het einde van de wereld

Chili eindigt in Antarctica, het ecologisch bastion van de mensheid. Dit land van ijs, wind en zeer lage temperaturen bewaart 80 procent van de zoetwaterreserve van de planeet. Het Chileens Antarctisch Territorium – dat in 1940 is vastgelegd – strekt zich uit tot de Zuidpool en tussen de 53ste en 90ste lengtegraad. Korstmossen en mossen vormen de schaarse Antarctische flora. De inheemse fauna is daarentegen gevarieerd: walvissen, zeeolifanten, robben, zeehonden, pinguïns en de Antarctische duif. In Chili leven negen van de achttien soorten pinguïns die op de wereld voorkomen. De Humboldtpinguïn leeft langs de kust van Arica tot Chiloé; de Konings- Adélie- en Keizerspinguïn leven op Antarctica.

Uitzonderlijke biodiversiteit

Mede dankzij de opmerkelijke geografische karakteristieken heeft Chili een grote verscheidenheid aan vegetatie. De vrij geïsoleerde ligging zorgt ervoor dat er veel soorten voorkomen die nergens anders te vinden zijn, vooral langs de woestijnkust en in de gematigde regenwouden. De aandacht voor natuurbescherming is groot. Er zijn in Chili dertig nationale parken, veertig nationale natuurreservaten en elf natuurmonumenten geregistreerd. Bij elkaar beslaan die gebieden bijna een vijfde van het totale grondgebied.

Van noord naar zuid verandert de flora, door afname van de temperatuur en de toename van de neerslag. De woestijnen zijn kaal. Alleen op de wat vochtiger plekken, bij lagunes en poelen, groeit stug gras en kunnen flamingo's rondstruinen of een uit de bergen afgedaalde *vicuña* op zoek naar water. Aan de randen van de woestijn schuifelen hooguit wat schildpadden, slangen en hagedissen rond.

Bij de dorpen zie je lamas en alpacas. De wilde familieleden, guanacos en vicuñas, houden zich hoger in de bergen op. Met hun dikke wollen vacht kunnen ze goed tegen de koude in het hooggebergte. Vizcacha's, groot uitgevallen knaagdieren, en nandu's hangen eveneens bij de dorpen rond. In het hooggebergte zweeft altijd wel een condor op zoek naar z'n prooi.

Het centrale deel van het land is bosrijker. De hellingen van de uitlopers van de Andes zijn begroeid met altijdgroene regenwouden. Hier groeien loofbomen als de eik, de beuk, de cipres en de lariks. Op iets grotere hoogte groeien naaldbomen. Een bijzondere plaats neemt de *araucaria araucana* in, de nationale boom van Chili. Hij kan duizend jaar oud worden en met zijn stam een hoogte van 50 m bereiken. In het merengebied en in Chileens Patagonië komt de *alerce* (Fitzroya cupressoides) veelvuldig voor, ook wel de Antarctische cipres genoemd. Deze enorme woudreus kan 50-60 m hoog en 5 m in doorsnee worden en is daarmee de grootste boomsoort in Zuid-Amerika. Ze kunnen ruim 3.000 jaar oud worden. In de bossen van Centraal-Chili leven vossen en zelfs poema's. Ook gordeldieren hebben er hun habitat, evenals uilen en vleermuizen.

Langs de kust leven kolonies zeeleeuwen, walrussen, Humboldt-pinguïns en dolfijnen. Het is tevens een rijk vogelgebied met pelikanen, jan-van-genten, scholeksters en albatrossen.

In Zuid-Chili leeft de pudú, een dwerghert van klein formaat (maximaal 40 cm en tien kilo zwaar). Het komt nergens anders ter wereld voor en is een beschermde diersoort.

*Regio Victoria: in het verleden vond grootschalig ontbossing plaats ten
behoeve van de houtindustrie; nu worden veel kale heuvels herbebost.*

De Chileense huemul (*Hippocamelus bisulcus*), de Chileense *deer*, leeft in de beboste gebieden van de Andes. De dieren hebben dikke, korte poten, zijn herbivoren en leven van gras en de blaadjes en vruchten van struikgewas. De huemuls zijn 's zomers alleen op hoogte te vinden en meestal alleen, of een moeder met een paar jonge dieren. In de herfst echter komen ze naar beneden en in de winter verblijven ze in de wouden van de valleien.

Mestiezen, immigranten, *indígenas*

Zo'n tweederde van de Chilenen is mesties. Ze hebben zowel Europese (meestal Spaanse) als inheemse voorouders. De scheiding tussen de bevolkingsgroepen in de koloniale samenleving mag dan zeer strak zijn geweest, door buitenechtelijke relaties en later steeds meer door gemengde huwelijken groeide het aantal mestiezen aanzienlijk.

Een kwart van de bevolking stamt rechtstreeks af van Europeanen. Dat zijn onder meer de telgen van de aristocratische Spaanse families, die in een vroeg stadium het bestuur, het leger en de economie organiseerden. Ze zijn nog steeds in het bestuur en de politiek te vinden, en verder in vrije beroepen, de wijnproductie, veehouderij, en in de wereld van de kunst en literatuur. Een tweede groep Europeanen waren de kolonisten die sinds de 19de eeuw, doorgaans in georganiseerd verband, naar Chili kwamen om er een nieuw bestaan op te bouwen.

Na de eerste Kolonisatiewet in 1845 kwamen vooral veel Duitse kolonisten naar Chili. Ze kregen land toegewezen in het merengebied en stonden aan de basis van de landbouw, de nijverheid en handel. Nederzettingen als Villarica en Pucón zijn groot geworden door de Duitse pioniers. Valdivia, aan de kust, is helemaal een 'Duitse' stad, met een sterk zichtbare Duitse cultuur. Wat later kregen Duitse pioniers ook het gebied aan de voet van de vulkaan Osorno, bij Frutillar, Puerto Octay en Puerto Varas toegewezen. Met hun harde werken hebben ze het gebied een compleet ander aanzien gegeven. Vrijwel al het oorspronkelijke bos is verdwenen om plaats te maken voor weilanden en akkerland. De Duitsers hebben de basis gelegd voor houtverwerking, begonnen zuivel en voedselfabriekjes, zorgden voor de handel, het onderwijs, de gezond-

CHILI, VEGETATIE

hooggebergtevegetatie
woestijn
(struik)steppe
in cultuur gebracht
subtropisch bos
struikvegetatie
zomergroen loofbos
(naar het zuiden toe steeds
meer coniferen)

Patagonische steppe
toendra en venen
gletsjers

© GEOGRAFIEK, 2008

Strandleven bij Pucón, met op de achtergrond de Villarica vulkaan.

heidszorg en bepaalden met hun tradities en architectuur de culturele identiteit van het gebied.

Naast de Duitsers kwamen Franse, Italiaanse, Joegoslavische, Nederlandse en Zwitserse pioniers naar Chili om een nieuw bestaan op te bouwen. Aan de exploratie en exploitatie van Chileens Patagonië in het diepe zuiden hebben Europese wetenschappers en ondernemende pioniers eveneens een belangrijke bijdrage geleverd.

'Slechts' een tiende van de Chilenen mag zich nog met recht inheems noemen. Deze *pueblos, indígenas* zijn wel door het hele land heen te vinden. Ze leven veelal in kleine boerengemeenschappen van wat groenteproductie, veehouderij en visserij.
De grootste groep zijn de Mapuche, ongeveer een miljoen zielen, die in het zuidelijk deel van het land wonen in zo'n 3.000 hechte gemeenschappen. Het Mapuche-volk wordt onderverdeeld in vijf subgroepen, die respectievelijk wonen in de provincie Araucanía, rond de stad Osorno, op het eiland Chiloé en in de Andes op de grens met Argentinië. De Mapuche-cultuur heeft nog steeds een eigen taal, het *Mapudungu*, eigen kleding, religie en tradities.

Twee andere inheemse bevolkingsgroepen die hun eigen cultuur hebben weten te bewaren, zijn de Aymaras en de Atacameños uit de woestijnen en hoogvlaktes van het 'Grote Noorden'. Er zijn zo'n 20.000 Aymara-indianen, die afstammen van en relaties hebben met de grote Hooglandcultuur in de Andes van Peru en Bolivia. Ze leiden een nomadisch bestaan en leven afwisselend op grote hoogte in de zomer en in de dalen in de zomer. Ze leven van het verhandelen van producten van lama's, alpaca's en schapen. In de dalen verbouwen ze maïs, bonen, gerst, quiñoa en fruit.

Ook de Atacameños leven in het 'Grote Noorden' met als centrum San Pedro de Atacama. Ze houden lama's en alpaca's en bedrijven wat akkerbouw. Hoewel er volgens wetenschappers geen raszuivere Atacameños meer zijn, worden nog enkele duizenden mensen tot het Atacameense ras gerekend. Velen van hen leven in grote steden als Antofagasta en

Calama. De Atacameños zijn recent ook door de regering als 'inheems volk' erkend.

Moderne steden

Chili is een verstedelijkte samenleving. Ongeveer 85 procent van de bevolking woont in stedelijke gebieden. In vergelijking met andere landen in Zuid-Amerika hebben de Chileense steden voornamelijk een eigentijdse uitstraling. Pareltjes van barokke architectuur als de mijnsteden in Mexico, Bolivia of Brazilië kom je er niet tegen. Chili had geen goud- en zilvervoorraden van betekenis. De koloniale bouwwerken die er zijn gebouwd hebben het zwaar te verduren gehad tijdens de onafhankelijkheidsstrijd, de burgeroorlog en bij de aardbevingen.

Santiago is met ruim zes miljoen inwoners het allesoverheersende stedelijke gebied. Hier zetelt het landsbestuur en vindt de politieke besluitvorming plaats, ook al verplaatste dictator Pinochet het 'lastige' Congres naar Valparaíso. De hoofdstad is tevens het financiële centrum en hart van het Chileense culturele leven.

Valparaíso is met drie miljoen inwoners de tweede stad van het land, en als belangrijkste haven op 1,5 uur rijden van Santiago sterk met de hoofdstad verbonden. Al in de 16de eeuw ontdekten de Spanjaarden de gunstige ligging aan de kust. Valparaíso groeide uit tot doorvoerhaven op de strategische zeeroute om de Kaap. In de 19de eeuw werd de havenstad nog belangrijker als financieel en commercieel centrum, en uitvalsbasis van de Chileense marine. De stad groeide in die tijd in hoog tempo, wat resulteerde in het nog altijd karakteristieke beeld van felgekleurde huizen op een hoop tegen de hellingen van het kustgebergte. Na de opening van het Panamakanaal kreeg de haven een grote klap. Vandaar dat de sfeer van vergane glorie er nu overheerst. Met de modernisering van de haveninstallaties, de privatisering van de havenautoriteit en de vestiging van het Congres heeft Valparaíso nieuwe impulsen gekregen. Viña del Mar is de badplaats van zowel Santiago en Valparaíso, en door een historische treinverbinding aan Valparaíso geknoopt.

In het Kleine Noorden zijn Copiapó en La Serena steden van betekenis, met respectievelijk 125.000 en 170.000 inwoners. Ze hebben allebei hun oorsprong als mijnnederzetting in de tijd dat in de buurt zilver en goud werd gevonden. Het zijn provinciale bestuurscentra en aantrekkelijk voor toerisme vanwege de historische architectuur en als pleisterplaats voor het woestijngebied. In de omgeving van La Serana staan wereldvermaarde astronomische observatieposten.

In het Grote Noorden is de voornaamste economische activiteit geconcentreerd, rondom de havensteden Antofagasta, Iquique en Arica.

Antofagasta is de hoofdstad van Regio II en met 300.000 inwoners de grootste stad in het noorden. De economie draait om de haven, de mijnbouw en de handel.
Iquique is de oude nitraathoofdstad van het land, en nog steeds van belang vanwege de haven, de vismeelindustrie en als bestuurscentrum van Regio I. De exorbitante villa's die de nitraatbaronnen indertijd lieten neerzetten, herinneren aan de bloei van weleer.
Arica, de strategische grensplaats met Peru, telt 175.000 inwoners. De voormalige Boliviaanse havenstad is via het spoor verbonden met La Paz. Sinds de Pacifische Oorlog is Arica Chileens. *La Ciudad de La Eterna Primavera* (de stad van de eeuwige lente), zoals Chilenen Arica noemen vanwege het milde klimaat, is een kleurrijke stad. Quechuas brengen er groente, fruit en zelfgemaakte artikelen aan de man. Toeristen vullen de straten en niet te vergeten het strand.

Concepción (215.000 inwoners) ontleent z'n bestaan aan de haven en de strategische ligging ten opzichte van het land van de Mapuche. De mijnbouw in de omgeving zorgde in de 19de en 20ste eeuw voor welvaart en groei. Tegenwoordig is het een grote industriestad, alsmede een transportknooppunt voor de bosbouw. Concepción heeft altijd in de vuurlinie gelegen in de strijd met de Mapuche. Tijdens de onafhankelijkheidsoorlog in 1811 trokken de rebellen er zich terug. Bernardo O'Higgins riep aan de huidige Plaza de la Independencia de onafhankelijkheid uit.

Santiago, megastad

Met meer dan een derde van de bevolking is het metropoolgebied van Santiago het dynamische hart van het land. De metropool strekt zich tientallen kilometers ver uit langs de Río Mapocho met op de achtergrond het machtige natuurlijke decor van de Andes. Aan de zuidkant loopt het stedelijke gebied door in de vallei van de Maipo, bij Maipú, en bij San Bernardo

Pedro de Valdivia stichtte de stad op 12 februari 1541, de dag van Santa Lucía. De berg waarop hij stond om het gebied te aanschouwen heet nu Cerro Santa Lucía en ligt midden in de stad. Op de stadsplattegrond is dit oudste stadsdeel, met de fraaie stadspleinen en de regeringspaleizen, gemakkelijk te herkennen aan de verkaveling in vierkante manzanas.

De Belle Epoque viel in Santiago samen met het volwassen worden van de jonge natie. Brede avenues als de Alameda, nog fraaiere pleinen en stadsparken versterkten de hoofdstedelijke uitstraling. Bijzondere gebouwen als de smeedijzeren Mercado Central en het monumentale Estación Central werden iconen van het industriële tijdperk.

De weinig verheffende conventillos *(rijtjes armzalige lemen huisjes) gingen tegen de vlakte en maakten plaats voor besloten woonbuurten met villa's voor de middenklasse. In Barrio París-Londres, Barrio Brasil en Barrio Bellevista, meteen grenzend aan het stadscentrum, streken begin van de 20ste eeuw de bohémiens, de schrijvers en kunstenaars*

Temuco is met 230.000 inwoners de grootste stad in het zuiden, en centrum van agrarische activiteiten en kleinere industrie. Het is een vrij jonge stad, die zich pas begon te ontwikkelen met het gereedkomen van de spoorlijn naar Santiago en de activiteiten van de Europese kolonisten in het Merengebied.

De meest zuidelijke stad van enige omvang is Puerto Montt; havenstad en centrum voor de visserij en visindustrie.

neer. Inmiddels zijn het schilderachtige oases in een drukke wereld-
stad, en 's avonds gezellige uitgaansbuurten.

Sinds de jaren negentig moderniseert Santiago in hoog tempo. Om het
verkeersinfarct en de extreme vervuiling het hoofd te bieden, is het
metronetwerk uitgebreid en zijn nieuwe wegen aangelegd. De rondweg
om de stad is afgemaakt. De Costanera Norte, deels aangelegd in de
bedding en onder de Río Mapoche (!), brengt bezoekers in een mum
van tijd van het vliegveld tot in het hart van de stad. Op de plek waar
voorheen autoverkeer het stadsleven verziekte, ligt inmiddels over vele
kilometers lengte het Parque Forestal, met daarin cultuurtempels als
het Paleis van de Schone Kunsten en tot evenementencentrum ver-
bouwde station Mapocho.
Het oostelijke stadsdeel Providencia en Las Condes, ingeklemd tussen
de steile Andes en de oude stad, was altijd al de 'betere kant'. Daar
bevindt zich het stijlvolle Santiago met veel hoge appartemententorens,
kantoorgebouwen, uiterst luxe winkelcentra en, verborgen in de lom-
merrijke heuvels, de villawijken.
Nieuwe stadsuitbreiding vindt plaats in voormalige dorpen als Maipú,
Oirque en Huechuraba, terwijl er plannen zijn voor de bouw van een
compleet nieuwe stad bij Los Cerrillos, op de plek van het voormalige
legervliegveld.

De teloorgang van het spoor

Tijdens de hoogtijdagen van de mijnbouw beschikte Chili over een uitgebreid spoornetwerk. Zo liepen er spoorlijnen voor het transport van
nitraat vanuit de mijnen nabij de Atacama-woestijn in het noorden en
het centrale deel van het land naar de havens van Iquique, Antofagasta
en Valparaíso. Voor passagiers was er al eind 19de eeuw een vaste ver-
binding tussen Santiago en Temuco, met later lijnen die doorgetrokken
werden naar de havenstad Concepción, Valdivia de badplaatsen Villar-
rica (1934), Riñihue (1910), tot aan Puerto Montt (1912). De koloni-

satie van het merengebied ging gelijk op met de uitbreiding van het spoornet. In vrijwel al die plaatsen komt de trein nu niet meer. Roestige locomotieven of wagons met een stuk spoorrails eronder zijn her en der tastbare herinneringen aan de hoogtijdagen van de stoomtrein in Chili.

Net als de andere landen in Zuid-Amerika is het vervoer per spoor in Chili sterk verwaarloosd ten gunste van de auto, de bus en tegenwoordig het vliegtuig.
Alleen tussen Santiago en Temuco rijdt nog een passagierstrein. Deze doorkruist de Centrale Vallei van noord naar zuid, met in het oosten uitzicht op de Andes. De viaducten over sommige rivieren zijn staaltjes ingenieurskunst. Het hoogtepunt is zonder twijfel het hoge viaduct over de Río Malleco, bij Collipulli ongeveer halverwege tussen Los Angeles en Temuco. In 1890 werd dit reusachtige stalen bouwwerk met vier stalen torens van ruim 97 m hoog en een overspanning van 407 m in gebruik genomen. Het was de kroon op de ontsluiting van het zuiden.

Uitbreiding van het wegennet
Over het algemeen zijn de autowegen in Chili prima verzorgd. Vooral in het centrale deel, waar de meeste steden liggen en de meeste mensen wonen, is inmiddels een uitgebreid wegennet. De ruggengraat van het verkeerswegennet is de RN5, de *Ruta Nacional* die van noord naar zuid door het langgerekte land loopt. Met uitzondering van een handvol hoofdwegen in de buurt van de hoofdstad en de verbindingen tussen Santiago en Valparaíso is het de enige hoofdweg van betekenis.
Tot halverwege de jaren zeventig hield de weg op bij Puerto Montt. Wie een bezoek wilde brengen aan de uitgestrekte bosgebieden of de ijsvelden, was aangewezen op de boot.
Eén van de ambities van de militaire regering was om Chileens Patagonië in versneld tempo te ontsluiten. Dat moest gebeuren door de Carretera Austral, de Zuidelijke Weg.

De ontsluiting van Chileens Patagonië
Patagonië heeft altijd een onweerstaanbare aantrekkingskracht gehad op avonturiers, wereldreizigers en wetenschappers. Het lag ver weg van de bewoonde wereld, ver weg van de beschaving. Daarom was het ook

aantrekkelijk, want juist de uitgestrektheid en de leegte trokken. Daarbij kwamen de onwaarschijnlijke verhalen van jagers, slechts gekleed in een lendenlap en op blote voeten, die het weerbarstige klimaat konden weerstaan, of van de *milodón*, een soort reuzenhamster, waarvan het bestaan werd vermoed en die nooit is gevonden.

Gletsjervelden en ijsmeren

Een fenomenaal arctisch landschap strekt zich uit in het uiterste zuiden van Chili. De Campo de Hielo Norte en Sur, de twee uitgestrekte ijsvelden van tientallen meters dikte, nemen een fors deel van het hele gebied in beslag. Tegen de uitlopers van de Andes aan, die hier een stuk lager zijn dan in het noorden, schuiven langzaam smeltende gletsjers in de richting van de Stille Oceaan. Parque Nacional Torres del Paine, met z'n granieten bergkammen, is een van de meest spectaculaire Chileense natuurparken. Maar ook het Parque Nacional y Reserva de la Biosfera Laguna San Rafael mag er zijn: een magistraal landschap van 1,7 miljoen ha met gletsjers, ijsrivieren en smeltwatermeren.

Met de boot vaar je door de kanalen, de fjorden en langs de eilandenarchipel voor de kust naar de gigantische ijsmassa. De doorgang ligt in het voorjaar (nov.-dec.) vol met ijsbergen, waar de boot zorgvuldig tussendoor laveert. Onder invloed van de klimaatverandering trekt de gletsjer zich gestaag terug. Uit beschrijvingen rond 1800 valt op te maken dat de ijsmassa toen driekwart van het meer bedekte. Aan de markeringen op de rotswanden is goed te zien hoe snel het afsmelten gaat.

Nadat Europese zeemogendheden, waaronder de Hollanders en de Zeeuwen, verschillende pogingen waagden een bruggenhoofd te vestigen in dit ruige gebied, kwam de kolonisatie pas op gang in de 19de eeuw. De Chileense overheid gaf wetenschappers als de Duitse geograaf Hans Steffen de opdracht het gebied in kaart te brengen. De overwegingen waren strategisch en een antwoord op de toegenomen belangstelling van de regering en de kolonisten van buurland Argentinië. Steffen reisde langs de gletsjers en de rivieren, beschreef de natuur en de kleine nederzettingen van houthakkers en veehouders. Die waren inderdaad voornamelijk via Argentijns Patagonië naar Zuid-Chili gekomen.

Na enkele militaire expedities met als doel de grenzen af te bakenen, gaf de Chileense overheid het startsein voor een grondiger kolonisatie van Patagonië. Zo ontstonden nederzettingen als Coihaique, Balmaceda, Chile Chico, Cochrane en Villa O'Higgins. Het waren overwegend ondernemende buitenlandse immigranten en een handvol grote ontwikkelingsmaatschappijen, zoals de Sociedad Industrial de Aisén, en de Sociedad Ganadera de Cisnes, respectievelijk voor de bosbouw en de veeteelt, die het meeste grond verwierven.

Na de Tweede Wereldoorlog nam de druk van de kolonisatie toe, vooral toen particulieren veel van de grond van de ontwikkelingsmaatschappijen kochten. In die tijd begon de grootschalige ontbossing, om landbouwgebied te krijgen, weidegrond of gewoon ten behoeve van de houtproductie.

Het was de droom van de militaire regering Zuid-Chili verder open te leggen. Strategisch om de grenzen in Patagonië beter te kunnen controleren en economisch om de natuurlijke rijkdom beter te kunnen exploiteren. De nederzettingen lagen geïsoleerd en werden per boot via de fjorden of de gletsjermeren bevoorraad. In 1976 begon de aanleg van de Caretera Austral in Puerto Montt. Ruim 1.000 km verder en 23 jaar later bereikten de wegenbouwers van het CMT, Cuerpo Militar de Trabajo – het leger dus – Villa O'Higgins.

Met de aanleg van de weg is het gebied ontsloten en krijgen de plaatsen in het zuiden economische impulsen. Chileens Patagonië is vanwege de spectaculaire natuur en de schitterende landschappen zeer in trek bij toeristen. Daar zijn risico's aan verbonden, waar de milieu- en natuurbeschermingsorganisaties op wijzen. Maar het schept ook kansen. Inmiddels heeft de Chileense overheid er twintig natuurparken en -reservaten aangewezen. Duurzaam gebruik van de omgeving en ecotoerisme zijn nu de leidraad voor de verdere ontwikkeling.

Indígenas, Spanjaarden en oorlogen

Hoe weerbarstig de natuur en geïsoleerd de ligging van het land ook is, al tien eeuwen v.chr. leefden er mensen in wat nu Chili is. De vroegste bewoners kwamen, voor zover bekend, uit het hoogland van Peru. Ze maakten deel uit van het volk der Aymaras en streken neer in het noordelijke kustgebied en de valleien direct daarachter.
Ongeveer duizend jaar later kwamen er nomaden naar de Atacamawoestijn. Ze slaagden erin een bestaan op te bouwen in de weinige vruchtbare oases in het kurkdroge gebied. De Atacameños behoren tot de oudste culturen in Chili en zijn in de loop der tijd over het hele noorden van het land uitgezwermd. Ze bereikten het hoogtepunt in hun beschaving vele eeuwen later, in de twaalfde eeuw n.Chr.
Hun traditis en ambachtelijke vaardigheden zijn vandaag de dag attractis. Zo koop je op de markt in San Pedro de Atacama en omgeving handgeknoopte tapijten, fraai gebakken, beschilderd aardewerk, manden en koperen sieraden.

In Zuid-Chili kwam de bewoning later op gang. Nomadische jagers en vissers als de Mapuches of Araucaniërs trokken omstreeks de twaalfde eeuw uit Patagonië naar de uitgestrekte bosgebieden aan de westkant van de Andes. In de vruchtbare valleien konden ze zich permanent vestigen en akkers aanleggen, waar ze onder meer aardappelen, bonen en *quinoa* (een inheemse graansoort) verbouwden. Door de eeuwen heen hebben ze weerstand kunnen bieden en hun cultuur grotendeels vast kunnen houden. Zowel de Inca's als de Spanjaarden slaagden er niet in de Mapuches onder de knie te krijgen.

De Spaanse tijd

De Spaanse verovering van Chili begon met het stichten van Santiago del Nuevo Extremo. Dat gebeurde in februari 1541, ruim vier jaar nadat een eerdere poging was mislukt om aan deze kant van de Andes een bruggenhoofd te vestigen.
Pedro de Valdivia was de aanvoerder van een legertje van 150 man. In zijn gevolg bevond zich Inés Suárez, een vrouw zo hard als een kerel, meedogenloos in de strijd en behept met strategisch inzicht bovendien. Ze werd bewonderd door de Spaanse soldaten en de Mapuches. Dankzij

haar keiharde optreden, waarbij ze in hoogst eigen persoon een paar gevangen genomen Araucaniërs het hoofd afhakt, bleef Santiago voor de Spanjaarden behouden. De Chileense schrijfster Isabel Allende beschrijft het leven van deze bijzondere vrouw in *Inés, vrouw van mijn hart.*

Het imperium van de Inca's

Aan de vooravond van de komst van Spanjaarden waren de Inca's heer en meester in het Andesgebied en de laagvlakten aan weerzijden van de bergketen. Hun rijk van de vier windstreken strekte zich uit van Colombia in het noorden tot Chili en Argentinië in het zuiden. Op sommige plekken zijn ruïnes overgebleven van verdedigingswerken, opslagplaatsen en bruggen. Hun wegennetwerk is op sommige plaatsen in de bergen nog steeds in gebruik. De Camino del Inca *wordt zowaar een toeristische attractie. Verder herinneren begraafplaatsen aan hun invloed in dit gebied. Opmerkelijk zijn de graven van kinderen, die op grote hoogte in de Andes zijn gevonden. Vermoedelijk zijn ze door de Inca's geofferd aan hun zonnegod.*

Conquista en verzet

Met Pedro de Valdivia als gouverneur slaagden de Spanjaarden erin hun machtsbasis uit te breiden. Aan de kust ter hoogte van de hoofdstad Santiago werd Valparaíso gesticht. In het zuiden legden de conquistadores en kolonisten de basis voor Concepción en Valdivia. Vooral in het zuiden bleef het onrustig en onveilig door de voortdurende aanvallen van de Mapuche op lijf en haard van de indringers. De Valdivia, nog altijd geëerd als de Vader des Vaderlands en als een groot staatsman, vond zelf ook een gruwelijke dood in handen van de gevreesde Mapucheleider Caupolicán. Hij werd gedwongen om aarde eten, net zolang tot hij kotsend en naar adem snakkend stikte. 'Wil je goud? Eet goud. Vreet je vol aan goud.' Dat zouden de indianen hem hebben toegeworpen, terwijl zijn lichaam opzwol van de Chileense aarde (citaat Eduardo Galeano, *Kroniek van het Vuur 1, Het Begin,* Novib/Van Gennep, 1986)

De Spaanse hegemonie in het uiterste zuiden werd behalve door de inheemse volkeren bij tijd en wijle ook betwist door andere Europese mogendheden. Zo probeerden Hollanders en Zeeuwen een bruggenhoofd te vestigen aan de kust van Zuid-Chili, als steunpunt op de zeeroute tussen de Atlantische en de Stille Oceaan via Kaap Hoorn. Kaapvaarder De Cordes probeerde in 1600 de kleine nederzetting Castro op het eiland Chiloé in te nemen, en streek later neer bij het tegenwoordige Valdivia. De ervaren VOC-generaal Hendrik Brouwer probeerde het in 1643 op dezelfde twee plaatsen, maar werd net als De Cordes weg-gejaagd door de inheemse bevolking.

Samenleven in de kolonie

De Spaanse kolonie Chili liep van de Atacama-woestijn in het noorden tot aan de Río Bío Bío, na verloop van tijd de natuurlijke grens met het gebied van de Mapuches. Het bestuur in de hoofdstad Santiago viel rechtstreeks onder de verantwoordelijkheid van de onderkoning in Lima. De handel was daarom voornamelijk op Lima gericht. Pas later, met de stichting van Mendoza aan de Argentijnse kant van de Andes, ging de economie van Chili zich ook op het buurland Argentinië richten.

Het land werd verdeeld onder de militairen en edelen, die in de con-quista bewezen hadden loyaal te zijn aan de koning. Zij kregen de grond in beheer volgens het systeem van de *encomienda*. De heer was *encomendero*. Hij had het vruchtgebruik van de grond, die eigendom bleef van de Spaanse Kroon, en droeg in ruil daarvoor belasting en een deel van de oogst af. De encomendero was tevens verantwoordelijk voor het wel en wee van de inheemse bevolking die op zijn grond woonden. In theorie hield dat in dat de indianen een menswaardig bestaan kre-gen gegarandeerd, in ruil voor werk op het land en bij het onderhoud van de gebouwen, wegen en bruggen. In de praktijk kwam het neer op lijfeigenschap en het opdringen van de Europese katholieke mores.

Aanvankelijk was de kolonie Chili niet bijster interessant voor de Span-jaarden. Er was geen goud en zilver te vinden en de landbouwmogelijk-heden in deze uithoek van het imperium werden lange tijd niet onder-kend. De kolonisten, die de uitdaging wel aangingen, moesten de ont-beringen en vooral de agressie van de indianen weerstaan.

Behalve het bestuurscentrum Santiago waren er tot de 18de eeuw maar een paar echte nederzettingen. Valparaíso was van belang als haven, Concepción en Valdivia als handelsnederzetting en bruggenhoofd in het zuiden. La Serena was een pleisterplaats op de vitale route naar Lima.

In de loop van de 18de eeuw kreeg de Chileense economie meer betekenis. Langzamerhand verrezen in de vruchtbare valleien rond en ten zuiden van Santiago meer *haciendas*. Dat waren grote herenboerderijen voor agrarische activiteiten, waar de Spaanse bewoners zorgden voor het onderwijs, tal van andere voorzieningen en het zielenheil. Reizigers konden er paarden verversen, eten en overnachten. Meestal had de haciënda een kerkje of kapel voor religieuze diensten, en was er een klaslokaaltje waar de plaatselijke bevolking onderricht kreeg. Sommige haciënda's groeiden uit tot de kern van de plattelandssamenleving, met later daar omheen het dorp. Anderen bleven redelijk geïsoleerd en hadden meer weg van versterkte bastions in vijandelijk gebied.

De Spaanse mannen, al dan niet getrouwd, verwekten kinderen bij de inheemse vrouwen, die op of nabij de haciënda leefden. Daar kwam op den duur een nieuwe bevolkingsgroep uit voort: de mestiezen. Ze waren niet zo talrijk als bijvoorbeeld in Mexico, Peru en Bolivia, waar de inheemse bevolking vele malen groter was, maar ze gingen niettemin in de gelaagde koloniale samenleving een opmerkelijke rol vervullen. Mestiezen hadden bij de Spanjaarden sowieso een streepje voor op de indianen, omdat ze hun nazaten waren. Ze genoten meteen beter onderwijs, kregen verantwoordelijke functies op de haciënda, leerden te werken in het bestuur.

Onafhankelijkheid

Het einde van de 18de eeuw markeert het begin van ingrijpende maatschappelijke veranderingen in de Spaanse koloniën, die uiteindelijk zouden leiden tot de strijd in de kolonie om zich los te maken van het moederland.
De landbouw en veehouderij, en nog iets later de mijnbouw in Noord-Chili, zorgden voor stevige economische groei en demografische veran-

deringen. Tegen het eind van de 18de eeuw streken de eerste groepen Europese immigranten neer in de kolonie.

In kringen van *criollos*, de blanke nazaten van de Spaanse bestuurders en kolonisten, en van de mestiezen groeide het ongenoegen over het straffe koloniale regime. Er was voor hen geen plekje in het bestuur, of ruimte voor eigen ondernemerschap. Alle handel liep via Lima en het moederland. Ze raakten geïnspireerd door de liberale idealen uit de Amerikaanse burgeroorlog en de Franse Revolutie.
Uiteindelijk zorgden de Napoleontische oorlogen in Europa voor de kentering in Zuid-Amerika, en dus ook in Chili. Nadat Franse troepen Spanje hadden bezet (1808) en de bestuursrelatie met het moederland was weggevallen, grepen de criollos hun kans.
Ze trokken het bestuur naar zich toe en verklaarden openlijk de oorlog aan de Spaanse koloniale bestuurders. De strijd die volgde, tussen de royalisten enerzijds en de liberale patriotten anderzijds, duurde bijna twintig jaar en verscheurde de koloniale samenleving. Er vonden bloedige veldslagen plaats; sommige steden en gebieden waren in handen van de vrijheidsstrijders, andere in die van de royalisten. De economie en de steden liepen in die episode van de geschiedenis zware schade op.

Onrustige beginjaren
De jonge natie ging door een even turbulente beginfase. Ook al was in 1818 de onafhankelijkheid uitgeroepen met de grote vrijheidsstrijder Bernardo O'Higgins als staatshoofd, in het zuiden waren nog hardnekkige haarden van Spaans verzet.
De bestuurlijke en maatschappelijke hervormingen, vastgelegd in de eerste grondwet van 1822, riepen vooral weerstand op bij de grootgrondbezitters en de kerk.
Chili werd, net als andere delen van Zuid-Amerika, geconfronteerd met nieuwe buitenlandse krachten. Spanje was weg, maar opkomende machten als Engeland en Frankrijk probeerden hun invloedssfeer uit te breiden. Zo waren Engelsen nauw betrokken bij de opbouw van een marine, waarmee de nog resterende haarden van Spaans verzet vanaf de zee konden worden aangepakt (later kon Chili met behulp van z'n marine een reputatie als zeemacht in de regio vestigen). Zo stond de geallieer-

de vloot, met Chilenen, Argentijnen en Britten, die in 1820 opstoomde naar Callao in Peru onder leiding van admiraal Lord Thomas Cochrane. In datzelfde jaar nam hij ook Valdivia in en een paar jaar later Ancud op Chiloé, het laatste bastion van Spaans verzet.

Vader des vaderlands

Bernardo O'Higgins (1778-1842) is onmiskenbaar de belangrijkste historische figuur in Chili. Hij was een onechte zoon van de Ierse gouverneur Ambrosio O'Higgins en Isabel Riquelme. De verbetenheid waarmee hij de strijd tegen de koloniale machthebbers vocht, verklaren velen uit zijn diepe afkeer van de hypocriete Spaanse moraal en de rigide bestuursdiscipline.
In patriottische kringen gold O'Higgins al snel als de beste legeraanvoerder. Hij verdiende z'n sporen in de directe confrontaties met de royalisten, ook al moest hij op een gegeven moment vluchten voor de vijand. Hij sloot zich vervolgens aan bij het leger van de Argentijnse libertador José de San Martín, die vanuit Mendoza met z'n troepen door de Andes trok om de Spanjaarden uit Chili en Peru te verdrijven, en daarmee voorgoed uit Zuid-Amerika. Met het bevrijdingsleger diende Bernardo O'Higgins in februari 1818 tijdens de Slag bij Chacabuco, vlakbij de Chileense hoofdstad, en drie maanden later bij Maipú de Spaanse troepen de genadeslag toe.

O'Higgins bleek een minder begenadigd bestuurder dan militair leider. De oppositie tegen zijn beleid vanuit conservatieve kringen en vooral de financiële crisis door de strijd met de Spanjaarden en de royalisten brachten hem in de problemen. In 1823 werd hij tot aftreden gedwongen.

Tien jaar lang duurde vervolgens de chaotische periode van staatsgrepen en opstanden. Conservatieve en liberale regeringen volgden elkaar in een onwaarschijnlijk tempo op, totdat de conservatieve generaal Diego Portales aan de macht kwam en orde op zaken stelde. De periode die volgde, ging de geschiedenis in als de Autocratische Republiek. De macht was weer in handen van de aristocraten, de grootgrondbezitters en de Kerk. Portales herschreef de grondwet, die tot in de 20ste eeuw de politieke en maatschappelijke verhoudingen zou bepalen. De macht van het Congres was teruggeschroefd, de president had vrijwel onbeperkte volmachten. Portales werd in 1837 vermoord, maar de basis voor een lange periode van rust en stabiliteit was gevestigd. De economie kon zich herstellen, en vooral de opkomst van de mijnbouw bracht nieuwe rijkdom.

Pacifische oorlog

Met de ontdekking van salpeter in de Atacama-woestijn kreeg het noorden van Chili plotsklaps enorme strategische betekenis. Al tijdens het bewind van Portales lag Chili overhoop met de buurlanden Peru en Bolivia. De Chilenen wilden voorkomen dat de noordelijke buurlanden te sterk zouden worden en hun oog zouden laten vallen op de winstgevende *solares* in Norte Chico, waar op natuurlijk wijze natriumnitraat ($NaNO_3$) was gevormd. Dat was in die tijd de grondstof voor kunstmest en gewild in Europa en de VS.

Chili raakte in een militair conflict verzeild met de buurlanden toen Bolivia en Peru een confederatie vormden. De Chilenen claimden de zeggenschap over het woestijngebied, wat diverse keren leidde tot wapengekletter in de periode tot 1839. Militair waren de Chilenen de noorderburen duidelijk de baas. Toch konden de jonge naties het niet eens worden over een duurzame oplossing van het grensconflict. De Atacama-woestijn bleef Boliviaans, al mochten Chileense mijnbouwondernemingen tegen een vergoeding de salpeter ontginnen. Dat kon niet goed gaan, want met het toenemende belang van de mijnbouw voor de economie en de nationalistische ambities van de politieke kringen in Santiago liepen de spanningen weer op. Aanleiding voor de escalatie vormde de eenzijdig afgekondigde forse verhoging van de belasting op de salpeterexport door de Boliviaanse regering. Chili annexeerde Antofagasta en directe omgeving in 1879, Peru koos de kant van Bolivia en de *Guerra del Pacifico* (Pacifische Oorlog) of *Salpeteroorlog* was begonnen. Op zee was de vijand voor de Chileense marine geen partij. In de Slag bij Iquique, op 21 mei 1879, toonden de Chileense officieren (net als in de strijd tegen de Spanjaarden) groot strategisch inzicht. De verovering van het zware, met staalplaten bepantserde Peruaanse vlaggenschip de Huáscar, geldt in Chili nog steeds als een van de grootse momenten in de nationale geschiedenis. Na deze gevoelige nederlaag op zee, moesten de Peruanen toezien hoe ze ook op het land werden overmeesterd door het Chileense leger. De belegering van de hoofdstad Lima was voor hen een enorme vernedering. Het zou toch nog tot 1883 duren voordat de Peruaanse regering de nederlaag erkende.

Buitenlandse invloeden en burgeroorlog

De mijnbouw gaf een grote impuls aan de economie. Aan de kust ten zuiden van Concepción, bij Lota kwam de steenkoolwinning van de grond, die de basis vormde voor uiteenlopende industriële activiteiten. In het noorden en rond Santiago bracht de mijnbouw grote veranderingen. Er kwam spoorwegen, telefoon- en telegrafieverbindingen, de havens van Valparaíso, Antofagasta en Concepción werden gemoderniseerd. Wel nam de greep van buitenlandse, vooral Britse investeerders, in de nutsbedrijven, de mijnbouw en het bankwezen sterk toe. Zo was eind 19de eeuw een derde van de salpeterwinning in Britse handen.

In het zuidelijk deel van het land kwam er eindelijk meer rust, nadat de regering een pact met de Mapuches had gesloten, waarbij ze de indianen eigen grond toezegden, vooral in het merengebied.
Om de landbouw te ontwikkelen en ook als tegenwicht tegen de toenemende Britse invloed in de samenleving, stimuleerde de regering van José Manuel Balmaceda (1886-1891) de kolonisatie door Europese immigranten. Vooral Duitsers maakten van die gelegenheid gebruik. Aan de kust bij Valdivia legden ze de basis voor de industriële ontwikkeling. In het merengebied bij Puerto Octay, Puerto Varas en Pucón ontgonnen ze de grond voor landbouw en veeteelt. Verder naar het zuiden gingen ze zich bezighouden met de bosbouw.

Op de valreep raakte Chili eind 19de eeuw in een burgeroorlog verzeild, toen het verenigde Congres het aan de stok kreeg met de eigenzinnige en autoritaire president Balmaceda. Hij duldde geen ingreep in zijn beleid en stelde het liefst z'n eigen kabinet samen. Zijn minachting voor het Congres ging zover dat hij in 1891 weigerde de begroting aan te passen. De president steunde op de landmacht, het Congres op

De beroemde moai beelden bij Rano Raraku op Paaseiland. De reusachtige hoofden van basaltsteen, afbeeldingen van voorouders en goden, 'kijken' in de richting van het eiland, alsof ze waakten over de bewoners.

Verkoop van typische Mapuche-producten in een Mapuche-centrum in Villarica, in het merendistrict. Veel Mapuches leven van de verkoop van ambachtelijke artikelen. Hun grondgebied wordt bedreigd door de oprukkende houtindustrie. Grootschalige aanplant van pijnbomen en eucalyptus zorgt voor opdroging van waterbronnen en uitputting van de grond. De indianen verzetten zich hiertegen.

de marine. Het conflict escaleerde verder toen het Congres in Iquique een regering in ballingschap vestigde. Tijdens twee veldslagen bleken zij het sterkste. Net als in de Pacifische Oorlog gaf de kracht van de marine de doorslag.

De macht van de kopermulti's

Dankzij de export van nitraat en later koper vond enige mate van industrialisering plaats, maar vooral gericht op de binnenlandse markt. De economische basis als zodanig werd weinig verbreed. Daardoor bleef de overheid sterk afhankelijk van de belasting op de export van mijnbouwproducten. Die sector was ook nog eens in handen van buitenlandse ondernemingen, zodat de Chilenen overgeleverd waren aan de grillen van de wereldmarkt en de belangen van buitenlandse investeerders. Wat dat betekent, ervoeren ze toen in 1914 kunstmest op de markt kwam en de handel in nitraat volledig instortte. De koperindustrie kon dat deels compenseren, maar deze was in handen van twee Amerikaanse bedrijven, Kennecott en Anaconda, zodat de winsten grotendeels naar het buitenland verdwenen.

De afhankelijkheid van de twee kopermultinationals bleef bestaan tot ver in de 20ste eeuw. Pas in de jaren zestig durfde de Chileense regering – met nota bene een christen-democratische president – het aan de Amerikaanse ondernemingen voor het blok te zetten. Dat gebeurde zo halfslachtig, dat alleen een nog radicalere oplossing in de jaren zeventig voor de hand lag. De regering van president Salvador Allende nationaliseerde de complete koperindustrie, zonder enige schadeloosstelling. De kopermultinationals hadden al genoeg verdiend aan Chili's koper, zo zei de Chileense regering.

Maatschappelijke en ideologische spanningen

Na de overwinning op Balmaceda brak een democratische periode. Het Congres was de baas, wat niet betekende dat er geen botsingen waren met de president. Want net zoals in andere Latijns-Amerikaanse landen bleek, is het gegeven van de populistische, sterke leider, die de natie

Aanhangers van de voormalige dictator Pinochet rouwen na zijn dood, eind 2006.

denkt te moeten voorgaan in de ontwikkeling naar een moderne samenleving, schijnbaar onuitroeibaar. De basis daarvoor ligt in de grote ver-
deeldheid in het nationale parlement, waar geen enkele grote partij een
duidelijke meerderheid kan vormen en altijd aangewezen is op een coalitie
met een rivaliserende politieke beweging. Grote veranderingen, noodzakelijk om maatschappelijke hervormingen door te voeren, zijn zo nagenoeg
onmogelijk. Gedurende de hele 20ste eeuw waren het de strijdkrachten,
die op beslissende momenten de macht grepen als zij de natie zagen af-
glijden door politiek gekonkel en de onmacht van de gekozen regering.

Inmiddels was de samenleving en daarmee de politieke arena grondig
veranderd. Met de mijnbouw en de industrie was de arbeidersbeweging
opgekomen, en daarmee links georiënteerde politieke partijen. Daar gingen massale stakingen aan vooraf in onder meer de haven van Valparaíso
en het noordelijke mijngebied, die in een aantal gevallen meedogenloos
werden neergeslagen door politie en leger. Naast de politieke bewegingen van conservatieven en liberalen kreeg Chili in 1920 als een van de
eerste Latijns-Amerikaanse landen een communistische partij, de Partido
Comunista Chileno (PCC). De uitgedijde middenklasse verenigde zich
in de Radicale Partij, een afsplitsing van de liberalen.

Parade der sterke mannen

De verkiezing van Arturo Alessandri tot president in 1920 markeerde
de nieuwe realiteit; de grote massa van arbeiders en de lagere middenklasse in de steden waren doorslaggevend voor de vraag wie het land
mocht besturen. Alessandri was de eerste Chileense president, die niet
afkomstig was uit de voorname families.
Dat leverde natuurlijk spanningen op. De immens populaire Alessandri
kwam met een uitgebreid programma hervormingsmaatregelen, zoals de
invoering van inkomstenbelasting, arbeidswetgeving en de scheiding
van kerk en staat. Dat zagen de conservatieven niet zitten. Waar mogelijk zaten ze hem dwars en met steun van hun gunstig gezinde leger-
kringen dwongen ze de president te vertrekken.
Na een uiterst chaotisch jaar met verschillende regeringen kon hij weer
z'n intrek nemen in het Monedapaleis. Alessandri wist zich nu verze-

kerd van de steun van Carlos Ibañez del Campo, in die tijd de machtigste figuur binnen de Chileense strijdkrachten. Met zijn steun kon de president zijn hervormingsplannen doorvoeren en de grondwet veranderen met opnieuw meer macht voor de president ten opzichte van het Congres.

Grensconflicten

'Chileense vloot stoomt op naar de grens!' De koppen in de kranten in zowel Chili als Peru, half augustus 2007, logen er niet om. En inderdaad kozen Chileense fregatten positie vlak bij de grens van de territoriale wateren. Voor de zoveelste keer dreigde het grensconflict tussen de twee landen te escaleren. Deze keer was de aanleiding een nieuwe zeekaart, gepubliceerd in de Peruaanse staatscourant. Daarop is de grens in zee zo doorgetrokken dat Peru er 35.000 km² op zee bij krijgt. Chili beschouwt dat stuk nog steeds als onderdeel van haar 200-mijlszone. Ondanks alle ophitsende uitspraken van politici in beide landen en de media-aandacht liep het conflict deze keer niet uit de hand. Maar de kwestie van de noordgrens blijft een gevoelig onderwerp sinds de Pacifische Oorlog. Ook aan de zuidgrens heeft Chili lange tijd conflicten gehad, maar dan met Argentinië. In de loop van de 19de eeuw nam de invloed van de Argentijnen in Patagonië toe. De Chileense regering en de strijdkrachten hadden in die tijd hun handen vol aan het conflict met de noorderburen. Ze stuurden een enkele militaire expeditie naar het zuiden, maar daar bleef het bij. In 1881 werd met de Argentijnse regering overeengekomen dat de landsgrens op de waterscheiding in de Andes liep. De loop van de grens in Vuurland bleef een twistpunt. Met name de zeggenschap over de Straat van Magelhaen en het Beaglekanaal, twee strategische verbindingen, lag uiterst gevoelig. In de jaren tachtig van de vorige eeuw was er zelfs even sprake van directe oorlogsdreiging. Door bemiddeling van de paus kon in 1984 het Tratado de Paz y Amistad (Vredes- en Vriendschapsverdrag) worden getekend. Sindsdien zijn de relaties stabiel, ook al nemen de Argentijnen het zekere voor het onzekere en hebben ze Ushuaia de laatste twintig jaar uitgebreid tot een forse stad.

Onenigheid tussen de twee sterke mannen leidde in 1927 tot een leger-coup van Carlos Ibañez. Hij ontpopte zich tot een klassieke dictator, onderdrukker van de vrijheid van meningsuiting en het parlement; een autocraat in hart en nieren dus, maar wel een die stond voor de modernisering van de economie. Landbouw en industrie konden zich uitbreiden, het onderwijs werd verbeterd.

De crisisjaren waren dramatisch voor Chili, opnieuw bleek de grote af-hankelijkheid van de mijnbouwsector. De dictator moest aftreden en het land raakte anderhalf jaar stuurloos. Als redder van de natie slaagde Alessandri er in 1932 opnieuw in terug te komen aan de macht. Hij kon eindelijk zijn ambtstermijn afmaken. Voorlopig was een eind geko-men aan de politieke rol van het Chileense leger.

De polarisatie voorbij

In maart 2006 kreeg Chili een vrouwelijke president, Michelle Bachelet, van de centrumlinkse Concertación Democrática. Een unicum in Latijns-Amerika en een illustratie van de gestage democratische ontwikkeling die het land sinds de jaren tachtig doormaakt. Na de militaire dictatuur is het land met achtereenvolgende brede regeringscoalities definitief een andere weg ingeslagen. Maar de littekens zijn nog vers, zo bleek eind 2006 tijdens de begrafenis van voormalig leider van de militaire regering Augusto Pinochet.

Net als in veel andere landen van Latijns-Amerika en andere werelddelen kwam de politiek in de loop van de 20ste eeuw meer en meer in het teken te staan van de ideologische tegenstelling tussen conservatieven en nationalisten enerzijds en socialisten en communisten anderzijds. De kwetsbaarheid van de economie door de afhankelijkheid van de mijnbouw, en dan nog vooral de koperproductie, zorgde steeds opnieuw voor turbulentie in de politieke arena.

De opmars van het Volksfront

De Grote Depressie markeert de geboorte van een brede volksbeweging. In 1936 werd het *Frente Popular* opgericht, het Volksfront, dat behalve uit de Radicale Partij bestond uit de socialisten, de communisten en de Democratische partij.

Toen dit Volksfront vervolgens de verkiezingen won, was dat behalve een grote verrassing een illustratie van het toenemende bewustzijn onder de Chileense bevolking dat de samenleving onrechtvaardig was ingericht. Pedro Cerda was de eerste linkse president van Chili en een van de eerste linkse leiders aan de macht in Latijns-Amerika. Salvador Allende was in zijn kabinet minister van Volksgezondheid.

De volksregering was geen eendagsvlieg, zo bleek in 1941. Opnieuw won het Volksfront de verkiezingen. Alleen al de socialisten en de communisten samen haalden een derde van de stemmen; een unicum in dit deel van de wereld.

Amerika verschijnt op het toneel

Tijdens de Tweede Wereldoorlog had de Amerikaanse regering de handen vol aan de Japanners en de Duitsers. De Latijns-Amerikaanse bondgenoten waren nodig om de oorlogsmachine te laten draaien. Chili was een van de grote koperleveranciers. De Duits sprekende minderheid wist te bewerkstelligen dat Chili gedurende de Tweede Wereldoorlog tot januari 1943 neutraal bleef; daarna koos Chili de kant van de geallieerden Na de Koude Oorlog sloeg de sfeer om, vanwege de Amerikaanse houding ten aanzien van de linkse beweging in Latijns-Amerika. Van Guatemala tot Brazilië, van Cuba tot Chili, overal kregen zittende regeringen te horen dat Washington niet gediend was van communisten in het kabinet. De ene keer grepen de Amerikanen met harde hand in, de andere keer met dwingende diplomatie.

In Chili gebeurde het laatste. De zittende president uit de Radicale Partij, González Videla, moest onder druk van de Amerikaanse regering de communisten uit zijn kabinet zetten. Even later verbood hij de Communistische Partij op grond van de *Ley Maldita*, de Wet tot Verdediging van de Democratie. Deze was overduidelijk ingegeven door de angst bij westerse regeringen voor wat zij zagen als een 'wereldwijd communistisch complot'.

De centrumrechtse Radicalen schoven, door de buitenlandse druk en de grote economische belangen die daarmee waren gemoeid, op naar het conservatieve kamp. In het centrum nam de jonge Christendemocratische Partij hun plaats in.

Polarisering tussen rechts en links

Gedurende de jaren vijftig waren de conservatieven weer aan de macht, met eerst generaal Ibañez opnieuw als president en later Jorge Alessandri, de zoon van Arturo. De koers was behoudend en gericht op het beschermen van de buitenlandse, met name Amerikaanse, belangen. Voor de gewone Chilenen was het leven geen pretje; de kosten van levensonderhoud stegen stevig, terwijl hun lonen laag werden gehouden.

Bij tijd en wijle traden leger en politie keihard op tegen demonstraties en protesten, bijvoorbeeld die voor het beëindigen van de Koreaanse Oorlog. Santiago was indertijd het decor van bloedige onlusten.

Een succesje voor de oppositie was dat de president tegen het eind van zijn ambtstermijn de Ley Maldita afschafte. Meteen rees de ster van de socialist Salvador Allende aan het firmament, als voorman van de Frente de Acción Popular, een monsterverbond van socialisten en communisten. Hij verloor de verkiezingen in 1958 maar net van Alessandri. En zes jaar later stemden centrumrechtse en conservatieve kiezers strategisch op de christen-democraat Eduardo Frei om te voorkomen dat de linkse Allende president zou worden. Opmerkelijk was de rol van de katholieke kerk en de Business Group for Latin America, een door ondernemer David Rockefeller opgerichte en door president John F. Kennedy gesteunde belangengroep van invloedrijke Amerikaanse zakenlieden. Ze lieten overduidelijk blijken dat Frei 'hun' kandidaat was en schilderden hem af als de 'redder' van Chili en de 'laatste hoop' voor de volkeren van Latijns-Amerika om uit de greep van het communisme te blijven.

Frei koos aanvankelijk voor een middenweg tussen het beschermen van het investeringsklimaat en maatschappelijke hervormingen. Al snel bleek de gepropageerde 'Revolutie in Vrijheid' vast te lopen op de ongelijke eigendoms- en machtsverhoudingen in het land. De landbouwsector leed aan structurele achteruitgang. In plaats van voedselexporteur was Chili voedselimporteur geworden. Een internationale onderzoekscommissie legde de vinger op de zere plek: 'Het grootgrondbezit blokkeert de modernisering van de landbouw.'

President Frei gooide het roer om. Hij zette in op een ingrijpende landhervorming, die erop neerkwam dat alle landgoederen groter dan 180 ha konden worden onteigend. Hij beloofde arme boerengezinnen land en een beter leven. Drie jaar lang duurde het voordat de wet op de landhervorming door het parlement was geloodst. Tegen het einde van zijn termijn had slechts een klein deel van de boeren daadwerkelijk meer grond gekregen.
Nog moeizamer ging het met een ander programmapunt: de 'Chilenisering' van de koperindustrie. De staat wilde 51 procent van de zeggenschap daarover. Frei's regering betaalde echter veel te veel voor dat belang en stak zich ook nog eens tot over de oren in de schulden om te

investeren in de mijnen, iets wat het Amerikaanse management veertig jaar lang had nagelaten. De dagelijkse bedrijfsvoering van de mijnbedrijven bleef in Amerikaanse handen en ook aan de winstuitvoer werd niets gedaan. Kortom: Kennecott en Anaconda profiteerden geweldig van de chilenisatie, terwijl de problemen voor de Chileense regering en de bevolking toenamen. De buitenlandse schuld en de inflatie waren niet meer in de hand te houden. De economische situatie was alarmerend; investeerders meden elk risico, rijken maakten hun banktegoeden over naar het buitenland, veeboeren brachten hun kuddes over naar Argentinië om daar te verkopen. Tegen deze achtergrond nam het verzet tegen de regering, de rijke families en de buitenlandse ondernemingen toe.

Socialistische experiment en vuile oorlog

Ten tijde van de verkiezingen in 1970 was Chili een verscheurde samenleving. Links en rechts stonden lijnrecht tegenover elkaar. Er was dan ook geen duidelijke winnaar. Salvador Allende en de Unidad Popular, zoals de samenwerking tussen socialisten en communisten nu heette, haalden ruim 36 procent van de stemmen, ex-president Allessandri en de Partido Nacional bijna 35 procent. De kandidaat van de christen-democraten sleepte 28 procent van de stemmen in de wacht.
Met steun van de christen-democraten in het Congres kon Allende toch president worden, echter wel met de belangrijke belofte dat de grondwet geëerbiedigd zou worden. Toch was het een geweldige overwinning voor links in heel Latijns-Amerika en daarbuiten. Maar de machtsbasis was uiterst wankel en de economische toestand kritiek.

Allende sprak van een *Via Chilena*, een Chileense Weg en een 'Revolutie binnen de Wet' om de noodzakelijke hervormingen door te voeren maar tegelijk het particulier eigendom te respecteren. Dat bleek een uiterst moeilijk begaanbare weg. Telkens als de regering kwam met voorstellen om de landhervorming steviger aan te zetten, stuitte dat op brede oppositie in het Congres. Gemakkelijker was het een eigenzinnige buitenlandse politiek te voeren. En dat deed Salvador Allende met verve.
Hij stak zijn bewondering voor de Cubaanse Revolutie niet onder stoelen of banken, en knoopte meteen diplomatieke banden aan met de

Cubanen. Fidel Castro kreeg zelfs een uitnodiging om op staatsbezoek te komen.

Op 11 juli 1971 was er ook binnenlands succes voor Allende, toen het Congres zijn wetsvoorstel goedkeurde om de bodemschatten te nationaliseren. De wens om meer greep te krijgen op de waardevolle mijnbouw-sector leefde ook bij de christen-democraten. Niet veel later volgde de volledige nationalisering van de koperindustrie, zonder enige vorm van schadevergoeding. De Amerikaanse multinationals hebben lang genoeg verdiend aan de exploitatie van Chili's minerale rijkdommen en het volk uitgebuit, aldus de president. Deze radicale stap bracht de Chileense regering openlijk in conflict met de Amerikanen.

De toon van de uitspraken over en weer werd harder en de Amerikaanse regering van president Richard Nixon liet het niet bij woorden alleen. Geen mogelijkheid bleef onbenut om Allende een hak te zetten. Zo kreeg zijn regering geen kredieten meer bij Amerikaanse banken. Hulpprogramma's werden gestopt. Overgebleven Amerikaanse ondernemingen in Chili, de International Telephone & Telegraph Corporation (ITT) voorop, werkten mee aan een grote samenzwering van de Amerikaanse geheime dienst de CIA om Chili economisch te ondermijnen.

Door het conflict met de Amerikanen werd de Chileense regering radicaler. De communisten in het kabinet kregen de overhand in het beleid. Het economische beleid kreeg een sterk protectionistische inslag met de nationalisatie van banken, verzekeringsmaatschappijen, vervoersondernemingen en industrieën. Op het platteland veranderden de verhoudingen diepgaand door de aanscherping van de landhervormingswet. Haciënda's mochten niet groter zijn dan 80 ha. Alles daarboven werd onteigend en verdeeld onder boerencorporaties.

Chaos en oppositie

Na een korte periode van opleving, stortte de economie in de loop van 1972 compleet in. Oorzaak was de scherpe daling van de koperprijs en de malaise op de wereldmarkt.

Om zijn socialistische programma van nationalisaties en subsidies op primaire levensbehoeften te financieren, had Allende stevig in het buitenland geleend. Nu kwam de regering in grote problemen, omdat ze de uitstaande kredieten niet meer kon betalen. In korte tijd sloeg de stemming onder de bevolking om van hoopvolle verwachting naar regelrechte paniek. Er ontstond schaarste aan alles, mede omdat mensen massaal aan het hamsteren sloegen. De ontwrichting van de markt werd bewust in de hand gewerkt door stakingen van de transportbedrijven en later ook van andere vitale bedrijfstakken. Deze zogenaamde 'bazenstakingen' legden de economie na verloop van tijd lam, ook al probeerde de regering met het inzetten van oude stoomlocomotieven uit een aantal treinmusea het transport op gang te houden.

Van twee kanten nam de druk op de regering van Salvador Allende toe. De uiterst radicale Movimiento de Izquierda Revolucionaria (MIR) zagen in de 'kapitalistische' sabotage van het socialistische programma een bewijs voor de stelling dat compromissen met 'de vijand' niet mogelijk waren. In hun ogen moest de revolutie de bestaande bezitsverhoudingen nog harder en diepgaander hervormen. De middenklasse voegde zich in het kamp van de traditionele grootfamilies, die de economie vanaf de koloniale tijd hadden beheerst. Ze lieten geen kans onbenut om de economische crisis te vergroten en de druk op de regering te verhogen. Daar kwam de internationale druk nog bij.
De Chileense regering kon, door toedoen van de Amerikaanse regering, in het buitenland geen krediet meer krijgen. Er waren problemen om het Chileense koper in westerse landen af te zetten en na het vertrek van de Amerikaanse technici was het moeilijk de machines in de mijnen goed te onderhouden. Geen enkel Amerikaans bedrijf mocht nog zaken doen met de Chileense regering. Op de achtergrond speelde de Amerikaanse regering een uiterst dubieuze rol door de oppositie tegen Allende's beleid te ondersteunen.

Van eind 1972 tot en met de zomer het jaar daarna was het chaos troef in Chili. De bazen hielden de vrachtwagens aan de kant, de kapitaalvlucht nam onrustbarende vormen aan, de voedselschaarste nam toe. In het zuiden bezetten landloze boeren grote haciendas om grond te bemachtigen. Radicale rechtse en linkse splintergroeperingen ontwrichtten met gerichte aanslagen de samenleving nog meer.

Mapuche-kinderen krijgen tweetalig onderwijs in een dorp bij Temuco, in het zuiden.

De parlementsverkiezingen van maart 1973 werden ruim gewonnen door de oppositie, zodat Allende zijn meerderheid in het Congres kwijt raakte en het land nagenoeg onbestuurbaar dreigde te raken. In een uiterste poging de situatie de baas te worden, veranderde de president Allende een aantal keren zijn kabinet. Zo nam Allende op een gegeven moment ook een aantal hoge militairen op in zijn regering. Dat was het begin van het eind. In het diepste geheim had de legertop een coup voorbereid.

De militaire coup

Vroeg in de morgen van 11 september 1973 reden er tanks in de straten van Santiago. Ze namen strategische posities in. Speciale eenheden van de strijdkrachten en de caribineros haalden van subversie verdachte personen uit hun huizen. Ook de omgeving van het presidentiële paleis werd hermetisch afgesloten. President Allende kreeg een vrijgeleide aangeboden, zo zeiden de coupplegers achteraf. Maar hij weigerde dat. In een emotionele radiotoespraak nam Allende afscheid van wat hij zag als 'zijn' volk. *'Arbeiders van mijn vaderland: ik geloof in Chili en in haar toekomst. Anderen zullen dit grijze bittere moment te boven komen, waarop het verraad probeert ons zijn wil op te leggen. Geeft niet op te beseffen dat, veel eerder vroeg dan laat, de brede lanen zich opnieuw zullen openen waarlangs de vrije mens gaat om een betere maatschappij te bouwen. Leve Chili, leve het volk, leve de arbeiders! Dit zijn mijn laatste woorden. Ik heb de zekerheid dat mijn offer niet vergeefs zal zijn.'*

Het waren de laatste woorden voor de radio. Even later bombardeerde de luchtmacht het paleis en trokken speciale eenheden onder leiding van brigadegeneraal Javier Palacios het gebouw binnen, dat op een aantal plekken in brand stond. De brand en de ravage in de Rode Kamer en de werkvertrekken van de president maakten het meeste indruk op hem. Allende lag in zijn werkkamer, 'zijn hoofd bijna doormidden gekliefd' door het schot waarmee hij zelfmoord had gepleegd. Althans zo luidde het relaas van Palacios.

Links, en niet alleen in Chili, heeft altijd vraagtekens gezet bij die officiële versie.

's Avonds benoemde een junta, met daarin de bevelhebbers van de drie legeronderdelen, zichzelf als het nieuwe landsbestuur. Generaal Augusto Pinochet kreeg de leiding over de junta.

Chili aan een touwtje

De Amerikaanse regering heeft bij de val van de Salvador Allende een uiterst dubieuze rol gespeeld. CIA-directeur William Colby zelf heeft aan het Amerikaanse Congres toegegeven dat de regering van president Nixon 8 miljoen dollar had uitgetrokken voor geheime acties teneinde de 'marxistische regering' te 'destabiliseren'. Colby vertelde dat hoge Amerikaanse functionarissen het Amerikaanse volk en het Congres bewust hebben misleid over de betrokkenheid van de Amerikaanse regering bij de binnenlandse aangelegenheden in Chili. (Bron: New York Times, *8 september 1974)*

Minister van Buitenlandse Zaken Henry Kissinger heeft persoonlijk leiding gegeven aan het programma om de economische steun en kredietverlening aan Chili te blokkeren nadat Salvador Allende tot president was gekozen. Kissinger zat zelf een wekelijkse meeting voor van verschillende regeringsdiensten om economische sancties tegen Chili te bespreken. Ook was de Kissinger nauw betrokken bij de CIA-acties tegen Allende. (Bron: New York Times, *15 september 1974)*

Maar ook de KGB was zeer actief betrokken bij het aan de macht helpen van de marxist Salvador Allende in Chili. Zijn verkiezingsoverwinning in 1970 werd gezien als een van de grootste zeges van de geheime dienst van de Sovjet-Unie in de Koude Oorlog. Dat staat in het tweede deel van The Mitrokhin Archive, *het boek gebaseerd op illegale kopieën van inlichtingendossiers gemaakt door de in 2007 overleden KGB-archivaris Vasili Mitrokhin.*

The Mitrokhin Archive II: The KGB and the World *beschrijft onder meer hoe KGB-officieren honderdduizenden dollars stortten in de campagnekas van Allende via de Chileense communistische partij en hoe zij bijeenkomsten met hem organiseerden via zijn maîtresse. Volgens de door Mitrokhin gekopieerde en uit Moskou gesmokkelde documenten had de KGB vanaf 1961 systematisch contact met Allende en wisten officieren van de geheime dienst zelfs een van de tegenkandidaten in de presidentsverkiezingen met smeergeld over te halen zijn kandidatuur in te trekken. Allende's verkiezingsoverwinning was volgens de KGB een enorme klap voor de Verenigde Staten, die Zuid-Amerika zeker in die jaren als hun achtertuin beschouwde*

Vuile oorlog

Met de militaire staatsgreep belandden de meeste Chilenen in een nacht-
merrie. Nooit eerder in de geschiedenis kreeg de bevolking van het Zuid-
Amerikaanse land te maken met een dergelijke repressie. In de dagen na
de coup werden de volkswijken uitgekamd op iedereen die 'links' was en
die zich actief met de regering Allende had beziggehouden. Vooral politieke leiders, kunstenaars en schrijvers, onderwijzers, studenten en intellectuelen moesten het ontgelden. Ze werden door speciale eenheden van het
leger en de politie van huis gehaald of gewoon op straat opgepakt. Onder
hen waren prominente kunstenaars als de zangers Victor Jara en Violeta
Parra. Nobelprijswinnaar Pablo Neruda was al doodziek, dus het had
geen zin om hem op te pakken. Wel doorzochten de militairen zijn huis.

De beelden van zwaarbewapende militaire patrouilles op straat, van
razzia's en de volgepakte stadions als concentratiekampen, schokten de
wereld. Chili onder Allende was een toevluchtsoord voor bevlogen idea-
listen en ballingen uit landen met repressieve regimes. Chili onder
Pinochet werd een terreurstaat.

De opgepakte mensen kwamen terecht in het voetbalstadion, het boks-
stadion en kazernes. Velen ondergingen schaamteloze verhoren en marte-
lingen. Honderden werden direct geëxecuteerd. Vele duizenden Chilenen
en ook buitenlanders die sympathiseerden met Allende verdwenen voorgoed. Tot op de dag van vandaag is niet duidelijk waar ze zijn gebleven.
Ontluisterend is de later bekend geworden Karavaan des Doods, een militaire missie onder leiding van generaal Arellano Stark door het noorden
van Chili. Hij besliste daar totaal willekeurig over de executie van 72 politieke gevangenen. En dan de verhalen over de gespecialiseerde martelcentra in het land, zoals Villa Grimaldi in een buitenwijk van Santiago,
waar de gevangenen werden onteerd en vermoord. Net als in Argentinië
gebeurde tijdens de *guerra sucia*, de vuile oorlog van de militairen tegen
'links', zijn er slachtoffers levend uit vliegtuigen in de oceaan gegooid.
Dankzij de getuigenissen van de overlevenden van de martelcentra, zoals het beruchte concentratiekamp Puchuncavi (nabij Valparaíso), zijn
de Chilenen te weten gekomen wat zich in die vuile oorlog heeft afge-
speeld.

Een kleine 100.000 Chilenen ontvluchtten hun geboorteland. Ze gingen naar andere Latijns-Amerikaanse landen als Mexico, Cuba en naar Europa. De meesten kwamen in Spanje en Frankrijk terecht, maar ook in Nederland en België bestaat nog altijd een forse gemeenschap van Chilenen die ooit voor Pinochet vluchtten.

Het schrikbewind van de militairen en de beruchte geheime dienst DINA, opgericht door Pinochet, reikte zelfs tot over de grens. Meest bekend is de moord op Orlando Letelier, in Allende's kabinet minister van Buitenlandse zaken en naar Washington gevlucht. Op 21 september 1976 werd hij opgeblazen in het centrum van die stad.

Schoon schip

Terwijl het land werd gezuiverd van 'revolutionaire' en 'subversieve' elementen, zoals de militaire leiders het noemden, kreeg de politieke elite en de rest van de samenleving te maken met een compleet isolement. De linkse politieke partijen en vakbonden waren vanzelfsprekend terstond verboden, maar zelfs de christen-democraten, die aanvankelijk nog lovend waren over de militaire machtsgreep, kregen te maken met forse beperkingen. Het Congres was meteen na de coup ontbonden. In maart 1977 kwam er een verbod op alle politieke partijen.

Door op sleutelposities in grote bedrijven en koepelorganisaties, op de universiteiten en bij de media militairen te benoemen, hield de junta het land in een ijzeren greep. Verzet was nagenoeg onmogelijk. De Communistische Partij was wel in staat ondergronds het netwerk in stand te houden, maar tot serieuze strijd kon het niet komen. Alleen de rooms-katholieke kerk kon het zich permitteren de junta af en toe te bekritiseren. Aanvankelijk schaarde de kerkelijke autoriteiten zich achter de coup, omdat deze Chili zou hebben gered van de marxistische dictatuur. De gruwelijke schendingen van de mensenrechten ontgingen de Kerk echter niet. Bij het Vicaría de la Solidaridad (Vicariaat voor de Solidariteit), dat viel onder het aartsbisdom Santiago, werden archiefkasten vol verzameld over de martelpraktijken, moordpartijen en verdwijningen. De Kerk bood onderdak aan tal van personen en organisaties die werden vervolgd. Zo konden toch op gezette tijden kritische publicaties verschijnen en kwam er informatie naar buiten over wat er werkelijk gebeurde in Chili.

Voor de wereld wilde de militaire junta het beeld tonen van Chili als
een vrije en moderne natie. De economie werd compleet hervormd;
nationalisaties werden ongedaan gemaakt, behalve die van de kopermijnbouw, en onteigende grond werd teruggegeven aan de vroegere
grootgrondbezitters, dan wel verkocht aan ondernemers die het regime
steunden. Het neoliberalisme werd leidraad voor het economische beleid, wat neerkwam op sterke bezuinigingen bij de overheid, het afschaffen van sociale programma's en subsidies uit de tijd van Allende en vrij
spel voor het particuliere ondernemerschap.
De exportsector werd opnieuw de basis voor de economie en het regime
deed haar uiterste best weer buitenlandse investeringen binnen te halen.
Met succes, want binnen enkele jaren groeide de economie weer als
nooit tevoren.

Hoogmoed komt voor de val

In 1980 voelde Pinochet zichzelf zo sterk dat hij een referendum uit-
schreef over een nieuwe grondwet. Dat zou de eerste stap zijn naar een
terugkeer van de democratie, zo hield de leider zijn gehoor voor. Pinochet
zou tot eind jaren tachtig aanblijven, maar dan zouden er verkiezingen
komen en mochten de Chilenen uitmaken of de militairen aan de macht
zouden blijven of dat er een burgerregering moest komen.
Pinochet won dat referendum afgetekend. De enige serieuze oppositie
kwam van de christendemocratische partij, want de linkse partijen waren
nog steeds verboden. Zo werkten de christen-democraten willens en
wetens mee aan de legitimering van de dictatuur. In de grondwet stond
beschreven dat 'alle doctrines die het gezin ondermijnen, het gebruik
van geweld aanmoedigen en een maatschappijbeeld, een staat en een
rechtsorde voorstaan die is gefundeerd op de gedachte van de klassenstrijd' verboden waren. Het was een vrijbrief om de linkse beweging in
de kiem te smoren.

Maar Pinochet had niet gerekend op de tegenkracht die de economie
zou oproepen. De internationale economische crisis begin jaren tachtig
bracht het regime in de problemen. De schatkist raakte snel leeg, omdat
de buitenlandse schuld hoog was opgelopen en forse rente- en afbeta-
lingen nodig waren. De gewone Chilenen waren het kind van de reke-

ning. Prijsstijgingen en lage lonen, bedrijfssluitingen en oplopende werkeloosheid waren de aanleiding voor stakingen van de koperarbeiders en protestacties op straat. Voor het eerst sinds de coup waren de straten van Santiago en in andere steden weer het toneel van massale *protestas* tegen de slechte economische situatie en de repressie. Pinochet reageerde met het beproefde recept van de avondklok, arrestaties en verdwijningen, maar dat ging niet meer zonder protest uit binnen- en buitenland. De verhoudingen in de wereld waren veranderd, de meeste westerse regeringen hadden schoon genoeg van de terreur door de militaire regimes in Zuid-Amerika. Zelfs van zijn 'vriend' Ronald Reagan kon Pinochet geen steun meer verwachten. De Amerikaanse regering gaf hem te kennen dat het tijd was voor democratische veranderingen. De protestas hielden aan en stakingen berokkenden de economie forse schade. De druk op Pinochet nam toe om voortijdig tot politieke compromissen te komen. Maar de president hield voet bij stuk, ook al begon hij een dialoog met de verenigde oppositie, de Allianza Democrática. De Kerk speelde bij die toenadering een cruciale rol.

In de aanloop naar het spannende jaar 1988 begon het oppositiefront zich te sluiten. Op 5 oktober 1988 mochten de Chilenen zich uitspreken over de toekomst van de militaire dictatuur. Zo was het in de grondwet van 1980 afgesproken. Zestien oppositiepartijen sloten zich aaneen in het Commando voor het Nee. Ze behaalden een daverende overwinning: 55 procent van de kiezers zei nee tegen de dictatuur.
Pinochet kon niet anders dan verkiezingen uitschrijven voor het jaar daarna. Ongetwijfeld zag hij de bui hangen, want hij liet in de aanloop van die verkiezingen in een amnestiewet vastleggen dat de militairen zouden worden gevrijwaard van eventuele aanklachten wegens schending van mensenrechten.

December 1989 schreven de Chilenen geschiedenis. Massaal kozen ze voor de terugkeer naar de democratie. Patricio Aylwin, de presidentskandidaat voor de gezamenlijke oppositie, nu onder de naam Concertación de los Partidos por la Democracia (Akkoord van Politieke Partijen voor de Democratie), won de verkiezingen overtuigend.

Terugkeer naar de democratie

De nieuwe regering stond voor de opgave zowel de economie nieuwe impulsen te geven alsook de sociale bodem in de samenleving terug te brengen. De maatschappelijke tegenstellingen waren sterk toegenomen, de armoede en de honger in de volkswijken trokken een zware wissel op de gezondheid en het opleidingsniveau van de bevolking. Vandaar het regeringsprogramma van president Aylwin met het motto 'Groei met gelijkwaardigheid'. Het neoliberale economische beleid werd in grote lijnen voortgezet, met speciale aandacht voor het stimuleren van de belangrijke exportsectoren, waaronder de mijnbouw, landbouw en veeteelt, fruitteelt, wijnproductie en de visverwerking.
Gelukkig voor de regering was het economische tij gunstig. De wereldmarktprijzen voor koper en voor agrarische producten stegen. Chili verdiende weer geld. En dat gaf de overheid de mogelijkheid de gezondheidszorg en het onderwijs aan te pakken; twee speerpunten in het sociale beleid van Aylwin.

De mensenrechten en de berechting van de schuldigen in de vuile oorlog waren in de politiek terugkerende issues. Aylwin moest er met grote omzichtigheid mee omgaan. Pinochet was als bevelhebber en in conservatieve kringen nog steeds een factor van betekenis. Maar de president kon de verzoeken van de nabestaanden van de talrijke verdwenen Chilenen om opheldering van wat er was gebeurd en het straffen van de schuldigen niet negeren. Ook omdat in zijn eigen coalitie partijen zaten die aandrongen op onderzoek en berechting van de verantwoordelijken. Aylwin's regering koos voor een verzoenende toon met de instelling van de Nationale Commissie voor Waarheid en Verzoening. Deze breed samengestelde commissie kreeg als opdracht de wandaden van het militaire regime te onderzoeken.
Talrijke aangrijpende getuigenverslagen van mensen die de martelcentra hadden overleefd, zijn opgenomen in de rapportage van de commissie die in 1991 gereed was. Meer dan 2.000 moorden werden bewezen geacht, zeker 1.000 mensen waren 'verdwenen. De regering beloofde de nabestaanden enige vorm van compensatie. Maar, zoals te verwachten, wilden de nabestaanden, mensenrechtenorganisaties in binnen- en buitenland nu ook dat de schuldigen voor de rechter kwamen.

Het dossier Pinochet

Er is in Chili geen controversiëler figuur dan generaal Pinochet. Voor de
een is hij de sterke man, die het land redde uit de chaos en de op handen zijnde marxistische dictatuur. Voor de ander is hij zelf de dictator
en in hoogst eigen persoon verantwoordelijk voor de dood en het lijden
van duizenden Chilenen, tot op de dag van vandaag.

Toen de man na een slepende ziekte in december 2006 overleed, bleek
hoe gespleten de Chileense samenleving nog altijd is over de periode
van de militaire dictatuur. Uitbundige Chilenen met de nationale vlag,
roepend dat de moordenaar eindelijk zelf dood was. Huilende vrouwen,
de lippen mooi gestift, en rouwende mannen in strak pak, die hoog op-
gaven van 's mans verdiensten. Zelfs Pinochet's begrafenis was voor zijn
aanhangers een demonstratie van aanhankelijkheid en dankbaarheid voor
'hun' sterke man. Voor de nabestaanden van de vermoorde en verdwenen
Chilenen is het onverteerbaar dat de dictator nooit ter verantwoording is
geroepen en spijt heeft betuigd.

Pinochet was bovenal een sluwe vos. Zo gaf hij president Allende tot op het
laatste moment het vertrouwen, dat er met hem een uitweg uit de crisis
was. Tegelijkertijd bereidde hij met de andere legerleiders de coup voor. Hij
was daarna ook meteen de grote man. En dat bleef hij tot aan zijn dood.
Hij bespeelde de media, draaide de politici een loer als dat nodig was en
kon altijd rekenen op brede steun in conservatieve hoek. Daarom was niemand écht verbaasd dat hij in 1998 zijn onaantastbaarheid als opper-
bevelhebber van de strijdkrachten inruilde voor de functie van Congreslid
voor het leven. Daarmee was hem opnieuw immuniteit gegarandeerd.

Zelfs de internationale aanklacht voor betrokkenheid bij de verdwijning van
Spaanse staatsburgers wist hij te omzeilen, door zich op te sluiten in ballingschap in een Londense villa en vervolgens vanwege zijn slechte gezondheid – voorgewend of niet, wie zal het weten – een vrijgeleide naar huis te
krijgen. Steeds weer wist hij de dans te ontspringen. De achtereenvolgende Chileense regeringen durfden hun vingers niet aan de man te branden,
bang als ze waren voor zijn conservatieve achterban en de strijdkrachten.
Met het overlijden van Pinochet kon de Chileense bevolking eindelijk
beginnen aan de verwerking van het verleden.

Knellende amnestiewetgeving

Als er één onderwerp de afgelopen jaren de politiek in Chili heeft gedomineerd, dan is dat de berechting van de moordenaars en beulen van Pinochet's regime. Kern van de discussie is niet zozeer of de schuldigen terecht moeten staan, want daar is een grote meerderheid van de Chilenen wel van overtuigd, maar vooral hoe dat dan moet. De grote vraag is hoe het amnestiedecreet te omzeilen, dat Pinochet in 1978 zelf introduceerde.
Naarmate de maatschappelijke druk toenam om de bewezen moorden en verdwijningen als rechtszaak te behandelen en de schuldigen te straffen, gingen juristen zoeken naar mazen in de wet. Die werd gevonden in het principe van het 'voortdurende misdrijf'. Dit houdt in dat gedwongen verdwijning een misdrijf is, die voortduurt totdat de overblijfselen van het slachtoffer zijn teruggevonden of de dood feitelijk is vastgesteld. In vele tientallen gevallen beriepen rechters zich de afgelopen jaren op dit principe, waardoor in de jaren negentig zo'n 250 officieren zijn aangeklaagd voor schendingen van de mensenrechten. Het ging vooral om de periode tot 1978, het moment dat de gewraakte amnestiewet in werking trad.

Het meest bekende geval is dat van de aanklacht van rechter Juan Guzmán in december 2000 tegen generaal Pinochet wegens ontvoering. In juli 2002 beëindigde het Hooggerechtshof echter de gerechtelijke vervolging, omdat het van oordeel was dat Pinochet geestelijk onbekwaam was om terecht te staan. De gewezen dictator legde zijn functie als Congreslid neer, vermoedelijk als onderdeel van een politieke 'deal'. Ook de zaken tegen Manuel Contreras, van 1973 tot 1990 hoofd van de geheime dienst DINA, is legendarisch. In 1995 werd hij veroordeeld tot zeven jaar gevangenisstraf voor de moord op de Chileense diplomaat Orlando Letelier. Hij weigerde zich te melden, sloot zich eerst op in z'n huis en vluchtte daarna naar een marinehospitaal. Een paar jaar later kreeg hij een nieuwe aanklacht aan z'n broek, dit keer voor de ontvoering en verdwijning van Miguel Ángel Sandoval, een 26-jarige kleermaker en lid van de Beweging van Revolutionair Links (MIR). Sandoval was een van 119 vermiste arrestanten, waarvan later ten onrechte via de pers werd gemeld dat ze dood zouden zijn teruggevonden in Argentinië,

CHILI, ADMINISTRATIEVE INDELING

PERU

BOLIVIA

◉ Sucre

I. TARAPACÁ
Iquique ●

II. ANTOFAGASTA
Antofagasta ●

Copiapó ●
III. ATACAMA

La Serena ●
IV. COQUIMBO

ARGENTINIË

V. VALPARAÍSO
Valparaíso ●
Santiago ◉ XIII. SANTIAGO
VI. O'HIGGINS
Rancagua ●

VII. MAULE
Talca ●

Concepción ●
VIII. BÍOBÍO
Temuco ●

IX. LA ARAUCANÍA

Puerto Montt ●
X. LOS LAGOS

Coihaique ●
XI. AISÉN

Punta Arenas ●
XII. MAGALLANES
Y ANTÁRTICA CHILENA

───── provinciegrens
◉ hoofdstad
● administratief centrum

© GEOGRAFIEK, 2008

een truc die bedacht was door de veiligheidsdienst om hun geheime executie te verbergen.

De advocaat van Contreras voerde aan dat het beginsel van de 'voortdurende misdrijf' een wettelijke fictie is en dat er geen bewijs is dat het slachtoffer nog altijd gevangen wordt gehouden. In december 2003 nam het Hof van Appèl van Santiago dit argument over toen het een andere aanklacht tegen Contreras ongegrond verklaarde. Toch veroordeelde de Hoge Raad Manuel Contreras een jaar later tot twaalf jaar gevangenis voor betrokkenheid bij de verdwijning van Sandoval.
De meeste andere hoven van beroep erkennen het principe van de 'voortdurende misdrijf'. Een basisprincipe van de internationale wetgeving inzake mensenrechten is dat misdaden tegen de menselijkheid niet onderhevig zijn aan verjaring, amnestie of kwijtschelding. Het VN Comité voor de Mensenrechten heeft vastgesteld dat Chili's amnestiebesluit 'de Staat belemmert haar verplichting na te komen ... een ieder wiens rechten of vrijheden onder het Convenant zijn geschonden een effectief rechtsmiddel te garanderen'.

Emancipatie binnen de strijdkrachten

De druk op de Chileense politiek is de afgelopen jaren toegenomen om het gewraakte amnestiebesluit uit de wet te schrappen. Maar zowel de regering van Ricardo Lagos als van zijn opvolger Michelle Bachelet gaan uiterst behoedzaam om met deze heikele kwestie, om te voorkomen dat de polarisatie in de samenleving weer toeneemt.
Er zijn nog altijd flink wat Chilenen die de militaire coup nodig en legitiem vonden. Tegelijkertijd is in conservatieve kringen en binnen de strijdkrachten wel degelijk het besef doorgedrongen dat het niet meer mag gebeuren; *nunca mas*, nooit meer dus! Op de militaire academies krijgen de cadetten de democratische principes van de rechtsstaat ingepeperd. En ook al gebeurt het sporadisch dat er in de collegebanken openlijk over de rol van het leger tijdens de dictatuur wordt gediscussieerd; de militairen weten hun plek. De deelname van het Chileense leger aan de internationale vredesoperatie in Haïti, die van 2005 tot 2006 onder leiding van een Chileense commandant stond, geeft aan dat de militairen zich schikken in hun nieuwe rol. Dat emancipatieproces had nooit plaats-

gevonden, als de Concertación aangestuurd had op een openlijke ver-
oordeling van alle betrokkenen bij de coup en de vuile oorlog. Claudio
Grossman, een bekend criticus van Pinochet's regime, die als balling
onder meer in Nederland verbleef, zegt het als volgt. 'Zij die van de
regering een hardere opstellingen vragen, houden zich meer bezig met
esthetica dan met politiek... en esthetica, althans zo heb ik het geleerd,
hoort thuis in het museum.'

Emancipatie en ontwikkeling

Sinds de overgang naar de democratie is de Concertación aan de macht
in Chili, een coalitie van christen-democraten, liberaal-democraten, socialisten en sociaal-democraten. Zij verenigden zich om een eind te maken
aan de dictatuur. In de jaren negentig kwam de nadruk te liggen op
verdere privatisering van de economie, de verbetering van de gezondheidszorg en het onderwijs en vooral armoedebestrijding.

Chili geldt als een economisch liberaal land. In die zin is de lijn doorgetrokken die de militaire junta van Pinochet inzette. Sinds de jaren
negentig is wel veel meer aandacht gekomen voor de sociale kwestie,
die zich uit in grote verschillen tussen arm en rijk, slecht onderwijs en
gebrekkige gezondheidszorg voor de gewone Chilenen, ongelijke behandeling van mannen en vrouwen. De regering van christen-democraat
Eduardo Frei jr. (1994-2000) lanceerde een nationaal programma voor
het uitbannen van de armoede. De socialistische president Ricardo
Lagos (2000-2006) ging de strijd aan met de werkeloosheid. Mede
dankzij de sterke opleving in de economie, toch altijd weer sterk afhankelijk van de exportmarkten, is de werkgelegenheid fors gestegen. Chili
was in Latijns-Amerika jarenlang het land met de sterkste economische
groei, en een groot deel van de bevolking plukte daar de vruchten van
dankzij hogere salarissen en betere pensioenvoorzieningen.

De publieke gezondheidszorg is de laatste jaren sterk verbeterd en veel
toegankelijker voor de mensen met een krappe beurs. De schoolplicht
is uitgebreid van acht naar twaalf jaar en er is veel gedaan om onderwijzers en leraren te werven. Een universitaire studie is niet uitsluitend

meer weggelegd voor kinderen van de rijken sinds de overheid in ruime mate beurzen verschaft.

Voor het zwaar katholieke Chili is de legalisering van echtscheiding een enorme doorbraak geweest. Sindsdien hoeven echtgenoten bij het huwelijk niet meer opzettelijk hun naam verkeerd te spellen, zodat een eventuele scheiding op juridische gronden gemakkelijker is uit te spreken. Ook over veilig vrijen met condooms wordt tegenwoordig openlijk gesproken. Wat minder hard gaat het met de abortuswetgeving en de gelijke behandeling van homoseksuelen. Dat blijven controversiële thema's

Op het gebied van de vrouwenemancipatie zijn er wel successen geboekt. De gelijke behandeling is nu bij wet geregeld. Ricardo Lagos was de eerste president die vrouwen in zijn kabinet opnam en op hoge posten bij ministeries en de rechterlijke macht benoemde. Eén van die eerste vrouwelijke ministers was Michelle Bachelet, ze kreeg nota bene de post Defensie. Ze komt uit een progressief liberaal nest en heeft de nodige traumatische ervaringen met de dictatuur. Haar vader, luchtmachtgeneraal Alberto Bachelet, stierf in 1974 in de gevangenis na te zijn gemarteld door de beulen van Pinochet. Hij gold als een van de weinige hoge officieren die openlijk de gewelddadigheden van de dictatuur en überhaupt de politieke missie van de strijdkrachten ter discussie stelden.

Nieuwe uitdagingen
Met de overwinning van de socialiste Michelle Bachelet bij de presidentsverkiezingen van januari 2006 is Chili ook op politiek gebied in de voorhoede.
Verbeteren van de bestaanszekerheid voor de zwaksten in Chili is voor Michelle Bachelet een hoofdzaak. Behalve een werkgelegenheidsprogramma voor arme Chilenen, heeft ze een beter pensioenstelsel en toegankelijker gezondheidszorg voor ouderen aangekondigd. Ook wil ze de toegang tot het onderwijs voor kinderen en jongeren uit lage inkomensgroepen verbeteren.

Michele Bachelet

Politieke analisten en Chili-whatchers noemen de verkiezing van Michelle Bachelet tot president 'het beste wat Chili kon overkomen.' Een vrouw in het hoogste politieke ambt, wie had dat tien jaar geleden durven denken? En dan ook nog een alleenstaande moeder, weliswaar uit gegoede kring, maar links en openlijk agnost. Het is nogal wat in het door en door katholieke Chili. Maar de politieke werkelijkheid is soms verrassend. Haar kinderen gaan, als het nodig is, vóór de politiek, zoals bleek toen haar oudste dochter plotseling ernstig ziek werd. Als arts kon ze zelf meteen de diagnose stellen, maar vervolgens bleef de president twee etmalen achtereen aan de zijde van haar kind toen deze in het ziekenhuis lag.
Voor de emancipatie van vrouwen is haar verkiezing een geweldige steun. Maar vooral waar het de gevoelige kwestie van de verwerking van de dictatuur betreft, is Bachelet de juiste vrouw op het juiste moment. Ze heeft de militaire dictatuur persoonlijk meegemaakt, met de arrestatie van en de moord op haar vader, de detentie die ze als student medicijnen samen met haar moeder korte tijd heeft moeten ondergaan, en daarna het leven als balling in het buitenland. Wie verwacht dat ze als

Maar dat het geduld niet eindeloos is, lieten de massale straatprotesten zien van scholieren, studenten, onderwijsvakbonden en ouders in mei 2006. Ze eisten onder meer gratis vervoer van en naar school en afschaffing van de kosten voor deelname aan het universitair toelatingsexamen. Ook onderwijzers en leraren dreigden met stakingen als hun salarissen en arbeidsomstandigheden niet zouden verbeteren. De *protestas* liepen soms aardig uit de hand, met veel gewonden en arrestaties. De rust in het onderwijs keerde pas terug nadat Bachelet concrete toezeggingen had gedaan en enkele ministers in haar kabinet had vervangen.

De oprichting van twee nieuwe ministeries, van Milieu en van Publieke Veiligheid, geven aan waar andere prioriteiten liggen. Chili kreeg de

*president een radicale positie inneemt in de discussie over de contro-
versiële amnestiewetgeving komt bedrogen uit. Bachelet treedt in de
kwestie uitermate verstandig en realistisch op. Ze is niet rancuneus en
kon zelfs toen ze minister van Defensie was de verleiding weerstaan
achter de moordenaars van haar vader aan te gaan. Ze heeft het in het
openbaar nooit over 'verzoening', omdat verzoening inhoudt dat je het
verleden begraaft en als ze iets niet wil, is het dat. 'Dat kunnen we de
slachtoffers en hun familieleden nooit aandoen', zegt ze in een inter-
view in* New York Times Magazine *(november, 2007). Maar rücksichts-
los de betrokkenen van de terreur en de moordpartijen aanklagen, wil
ze ook niet. 'Veel van degenen die de zwaarste misdaden hebben begaan,
zitten in de gevangenis. En ik heb reden om aan te nemen dat daaronder enkelen zitten, die mijn vader hebben gemarteld', antwoordt ze
op de vraag waarom ze de schuldigen niet harder aan laat pakken.
Michelle Bachelet is voor de 'herontmoeting' van de slachtoffers en de
verdedigers van de dictatuur, zoals ze het noemt. 'Dat doe je niet door
alleen met het verleden bezig te blijven. Ik ben ervan overtuigd dat we
in Chili de consensus kunnen vinden om de hedendaagse vraagstukken
in de samenleving aan te kunnen pakken.'*

afgelopen jaren te maken met onder meer schandalen van schadelijke
stoffen in gekweekte zalm en vergiftiging van oppervlaktewater bij de
kopermijnen. In een land dat zo afhankelijk is van die sectoren voor de
export, leidt dat tot reputatieschade en is dus desastreus. Vandaar dat
voedselveiligheid en verbetering van de milieuvoorschriften veel aandacht van de regering krijgt.

Corruptieschandalen, het debacle van *Transantiago* (het grootse moder-
niseringsplan van het openbaar vervoer in Santiago) en de eeuwige bestuurlijke patstellingen inzake de bestuurlijke hervormingen achtervolgen
de president. Zo vormen de financiële malversaties bij *Chiledeportes*,
overheidsorgaan voor fondsenwerving ten behoeve van de sport, één van
de bommetjes onder de centrumlinkse coalitie. Veel geld, in sommige

gevallen bijna de helft van het budget, kwam niet terecht bij de bedoelde projecten, maar op rekeningen van mensen die dood waren of nooit hebben bestaan.

Het onder president Ricardo Lagos met veel bombarie aangekondigde megaproject Transantiago, blijkt niet gunstig uit te pakken voor de bewoners van de arme- en middenklasse wijken. Die moeten dagelijks veel langer reizen van en naar het werk. Dit heeft het draagvlak voor de Concertación geen goed gedaan.

Michelle Bachelet beloofde in haar verkiezingscampagne dat ze het kiessysteem zou veranderen. Pinochet heeft dit systeem ooit bedacht om te voorkomen dat een centrumlinkse regering de meerderheid in het Congres zou krijgen en de grondwet zou kunnen veranderen. De rechtse partijen, die gewoonlijk een derde van de uitgebrachte stemmen krijgen, hebben in dit systeem toch altijd de helft van het aantal zetels. De president heeft een referendum over het kiesstelsel aangekondigd.

Opmerkelijk genoeg heeft de onvrede onder de kiezers de populariteit van de president niet aangetast. Vooral bij de vrouwen blijft Michelle Bachelet razend populair, wat goed is te merken als ze optreedt op publieke bijeenkomsten. Dan zijn het de vrouwen die hartstochtelijk applaudisseren. De mannen doen hoogstens beleefd mee. Niet zo merkwaardig als je in aanmerking neemt hoe macho en conservatief de Chileense samenleving altijd is geweest.

Toch blijkt uit de analyses dat Chili bij de verkiezingen in 2010 toe is aan iets 'echt' nieuws. De Concertación is dan twintig jaar onafgebroken aan de macht. Om de toenemende schare jonge kiezers aan zich te binden, die helemaal niets meer hebben met het beladen verleden, en om definitief af te rekenen met de politieke tweestrijd tussen rechts en links, zijn andere gezichten nodig; leiders, die niet belast zijn door het verleden, die in staat zijn te breken met de ingeburgerde politieke moraal en een antwoord hebben op de kwesties van vandaag de dag.

Investeren in de toekomst

Dynamiek en traditie kenmerken de Chileense samenleving. Modern Chili is te vinden in het centrale deel van het land, met Santiago als metropool, de grote havenstad Valparaíso, en de provinciesteden in de Centrale Vallei. De democratisering zorgt voor emancipatie op alle terreinen. Alleen de inheemse bevolking en de arme immigranten uit Peru en Bolívia profiteren er nauwelijks van. Ook de contrasten tussen de stad en de plattelandsgemeenschappen in het zuiden zijn enorm.

Vooruitgang, vallen en opstaan

Vergeleken met de buurlanden is de welvaart onder de Chilenen opzienbarend. Het is af te lezen aan de woningbouwactiviteit bij Santiago en de grotere provinciesteden, aan het aantal nieuwe auto's dat rondrijdt en aan de volle winkelstraten met een koopgraag publiek. De economische cijferlijst is zonder meer een pluim waard.

Toch lijdt Chili aan een hardnekkige kwaal; de uiterst scheve verdeling van die welvaart. Succesvolle zakenlieden *chillen* na een hectische werkweek met een dagje skiën in de bergen boven Santiago. De bewoners van de volkswijken in het westen van de hoofdstad moeten dagelijks sappelen en zweten om het hoofd boven water te houden. Het lijkt wel of alle ellende van de grote stad en de negatieve gevolgen van de aantrekkende economie over de hoofden van de minder bedeelden wordt uitgestort.

Terwijl de prijzen van etenswaar, van het openbaar vervoer en van de gezondheidszorg omhoog schieten, blijft het minimumloon ver achter. Ondanks de investeringen in het moderne metronet, piept en kraakt het openbare vervoerssysteem van de hoofdstad aan alle kanten. Urenlang brengen de bewoners van wijken in het zuiden en westen door in de bus om dagelijks op hun werk of op school te komen. De vervuiling van de stad treft vooral het oostelijk deel van de stad, ondanks de aanleg van nieuwe autowegen ondergronds en om de metropool heen. Niet voor niets neemt het aantal rellen, stakingen en bezettingsacties van boze werknemers en opstandige burgers handoverhand toe.

Chili heeft de weinig vleiende reputatie tot behoren tot de meest ongelijke en onrechtvaardige samenlevingen in Latijns-Amerika. Tien tot vijftien procent van de bevolking leeft in armoede of is hulpbehoevend. Zo'n twee miljoen Chilenen leven onder het bestaansminimum, dat voor een huishouden is vastgesteld op 144.000 peso's (het minimumloon in 2007). De 20 procent rijkste Chilenen beschikken over ruim 60 procent van het nationaal inkomen, terwijl de 20 procent armste Chilenen slechts 3,5 procent verdienen. De economische voorspoed van de laatste decennia heeft aan deze immense verschillen tot dusver weinig veranderd. Maar de sociale kwestie staat inmiddels hoog op de politieke agenda.

Onderwijs uit het dal

Langzamerhand krabbelt het Chileense onderwijs op uit de zwarte dagen van de militaire dictatuur. Ooit gold dit land als een voorbeeld van goed onderwijsbeleid. Zo was het middelbaar en hoger onderwijs in de jaren zestig en zeventig breed toegankelijk voor grote delen van de bevolking. Met de komst van de militaire dictatuur was dat abrupt afgelopen, alsof de verheffing van de massa door de junta werd beschouwd als de voornaamste oorzaak van de opmars van het socialisme. In ieder geval zagen de militairen en de conservatieven die hen steunden de universiteiten als broedplaatsen van radicale ideeën.

Het openbaar onderwijs is door Pinochet verwaarloosd en stelselmatig afgebroken. Tegelijkertijd kreeg het privéonderwijs ruim baan. Het gevolg was dat Chili bij de overgang naar de democratie kampte met een scherpe tweedeling in het onderwijs. De contrasten tussen het openbare en het privéonderwijs waren immens. Los van de gebrekkige faciliteiten, verouderde leermiddelen en laag betaalde leerkrachten, was het gebrek aan voldoende lestijden de grootste handicap in het openbaar onderwijs. Door de bezuinigingen was het aantal lesuren teruggeschroefd tot een bedenkelijk aantal. Veel kinderen gingen maar een halve dag naar school.

Sinds de Concertación aan de macht is, is er veel meer aandacht voor de verbetering van het onderwijs. De onderwijshervormingen in het afgelopen decennium waren vooral gericht op uitbreiding van het aantal lesuren en verbetering van de kwaliteit van de leerkrachten en middelen.

Sinds 1997 moeten gemeentelijke scholen (helemaal gesubsidieerd) en gedeeltelijke gesubsidieerde particuliere scholen volledig dagonderwijs aanbieden. In 2003 is de leerplicht uitgebreid naar de bovenbouw van het voortgezet onderwijs. Kinderen moeten nu twaalf jaar verplicht onderwijs volgen.

Met dit beleid is snel positief resultaat behaald, want het gemiddeld aantal jaren onderwijs is sterk toegenomen. Waar in 1982 nog slechts 65 procent van de kinderen naar de middelbare school ging, was dat rond de eeuwwisseling gestegen tot 82 procent. En in 2004 tot zelfs 90 procent. Analfabetisme komt in de leeftijd van 15-24 jaar vrijwel niet meer voor.

Voor de komende tijd is de grote uitdaging om ook de participatiegraad in de bovenbouw van het voortgezet onderwijs te verhogen. Dit lag in 2004 rond de 70 procent, waarmee Chili beter scoort dan andere nieuwe economieën als Brazilië, Argentinië, Mexico, India en Zuid-Afrika, maar een flink stuk lager dan de rijke OESO-landen.

Kwaliteit van het onderwijs

In het Chileense basis- en voortgezet onderwijs valt veel te verbeteren. Met name de onderwijsprestaties van de laagste inkomensgroep zijn beneden de maat. Een teken dat het onderwijssysteem nog altijd niet de sociale kloof in de samenleving weet te overbruggen. Investeren in de kwaliteit van het onderwijs, met extra aandacht voor de kwetsbare groepen, is daarom een van de speerpunten van de regering Bachelet.

Een andere speerpunt in het beleid is het versterken van onderzoek en innovatie. Over de hele linie is de werkzame bevolking relatief laag opgeleid, wat gevolgen heeft op de investeringen in hoogtechnologische- en innovatieve bedrijvigheid. De regering investeert fors in het hoger onderwijs en probeert op allerlei manieren de Chilenen duidelijk te maken dat doorstuderen, en het halen van diploma's, resulteert in een betere positie en een hoger inkomen. Samen met het bedrijfsleven zijn bijscholingscursussen opgezet en onderzoeks- en ontwikkelingsprogramma's gestart.

Vrouwen en jongeren

Meer vrouwen en jongeren aan het werk krijgen, dat is een van de grote uitdagingen waar de Chilenen voor staan, aldus concludeert de Organisatie voor Economische Samenwerking OESO in een rapport over Chili (november 2007). Beide groepen zijn op de arbeidsmarkt ondervertegenwoordigd en voor zover ze werken, moeten ze genoegen nemen met laagwaardige parttime-baantjes. Met het oog op de vergrijzing en de ambitie om het hoge ontwikkelingstempo vast te houden, maakt dat de Chileense samenleving kwetsbaar.

De positie van de vrouw in Chili is sinds de overgang naar de democratie aanzienlijk verbeterd. Tijdens de kabinetsperiode van Ricardo Lagos zijn er veel wetten aangepast, zoals de uiterst controversiële echtscheidingswet.

Meer en meer vrouwen kiezen voor de eigen ontplooiing naast het moederschap. Het aantal vrouwen met een baan nam de afgelopen jaren zienderogen toe. De arbeidsparticipatie van vrouwen ligt nu op zo'n 42 procent. Dat is echter nog een stuk lager dan dat van mannen (73 procent).

Werken naast het gezin is beslist niet eenvoudig voor de Chileense vrouw. Er is een enorm tekort aan betaalbare kinderopvang en conservatieve opvattingen over de rol van de vrouw staan hun mogelijke carrière in de weg.

De ongelijkheid tussen mannen en vrouwen begint al in het onderwijs. Veel minder meisjes dan jongens studeren door na hun 16de jaar. Daardoor is het opleidingsniveau van vrouwen structureel een stuk lager dan dat van mannen. Vandaar dat vrouwen vooral in de laagbetaalde parttime functies terechtkomen.

Vooral naarmate het opleidingsniveau stijgt, nemen de verschillen in salariëring tussen mannen en vrouwen toe. Uit onderzoek blijkt dat mannen met een universitaire graad gemiddeld de helft meer (!) verdienen dan vrouwen met dezelfde kwalificaties. Dit heeft te maken met de arbeidshistorie, het aantal gewerkte jaren, de verhouding vol/deeltijdwerk, leeftijd, en wel degelijk ook met verschil in waardering. Werk aan de winkel dus voor Michelle Bachelet, die van de positie van de vrouw tijdens haar campagne een *hot issue* maakte.

Eenmaal aan de macht, voegde ze meteen de daad bij het woord door veel meer vrouwen in haar kabinet op te nemen dan enig voorganger had gedaan. Ook voor ambtelijke topfuncties streeft de Chileense regering nu een gelijke verdeling tussen mannen en vrouwen na.

Gezondheidszorg op westerse leest

Met uitzondering van ondervoedingsproblemen en aanverwante medische klachten bij de 10 procent allerarmsten vertoont de Chileense gezondheidszorg een West-Europees beeld. Hart- en vaatziekten, aandoeningen aan de luchtwegen en kanker zijn de voornaamste doodsoorzaken. Er is een uitgebreid systeem van publieke- en particuliere gezondheidszorg. Sinds 1990 is het aantal mensen dat onverzekerd rondloopt meer dan gehalveerd; het bedraagt nu zo'n 7 procent. Verreweg de meest Chilenen (68 procent) zitten in de verplichte gezondheidszorgverzekering van het *Fondo Nacional de Salud* (FONASA). Ze dragen daar maandelijks een vast bedrag van hun bruto salaris voor af. Ze kunnen kiezen voor volledige overheidszorg of voor een mix van publieke- en particuliere zorg met bijbetaling. Kwetsbare groepen zijn via het solidariteitsprincipe in de publieke zorg gratis verzekerd. Dit heeft de kosten voor de gezondheidszorg de laatste jaren sterk doen stijgen.

Ruim 16 procent van de bevolking is particulier verzekerd voor gezondheidszorg bij de zogenaamde ISAPRE's, *Instituciones de Salud Previsional*. De zorg, die deze verzekeraars bieden, is van hogere kwaliteit en aanzienlijk duurder. Om risico's te mijden sluiten ze mensen met een te laag inkomen en bepaalde familieachtergrond – in verband met mogelijke erfelijke ziekten – uit. Niettemin stijgen de premies in deze sector razendsnel.

Om de kwaliteit en de betaalbaarheid van de zorg voor iedereen te garanderen, ongeacht hoe die is verzekerd, bestaat sinds 2002 het AUGE-plan (*Acceso Universal con Garantías Explícitas en Salud*). De overheid garandeert hierbij de geneeskundige behandeling van ziekten die veel voorkomen. AUGE omvat inmiddels 56 veelvoorkomende ziektebeelden. Als een patiënt niet binnen een bepaalde termijn, en volgens de condities van zijn verzekering, kan worden behandeld, zorgt de overheid voor behandeling in een andere kliniek, publiek of particulier. Dankzij de certificering van gezondheidszorginstellingen die aan dit plan deelnemen is bovendien de kwaliteit van de zorg gegarandeerd. AUGE pakt vooral voor de lagere inkomensgroepen gunstig uit.

Inheemse diversiteit

In vergelijking met andere Andeslanden als Peru, Bolivia en Ecuador heeft Chili niet zo'n omvangrijke inheemse bevolking. Rond de 700.000 Chilenen gaven bij de laatste volkstelling in 2002 aan zich als *indígena* te beschouwen. Ze wonen verspreid door het land en zijn verdeeld in een handvol grote groepen, waarvan de **Mapuches**, wonend in het zuidelijke deel van het land, de grootste zijn. Traditioneel hielden ze zich bezig met de landbouw en het vervaardigen van ambachtelijke artikelen, en dat doen ze nog steeds. Het verschil is wel dat er inmiddels heel veel Mapuches naar de steden zijn getrokken. De schaalvergroting in de landbouw, veeteelt en bosbouw heeft ze van hun gronden verdreven; ze zoeken hun heil nu in de stad. Daar kom je ze vooral tegen op de markt, in de straathandel, de bouw en de huishouding.

Opmerkelijk is dat de Mapuches voor de komst van de Spanjaarden een matriarchale structuur hadden. In de koloniale tijd en met name door het christendom is de positie van de man als gezinshoofd versterkt en kwam er een patriarchale familiestructuur.
Ondanks het verlies van een fors deel van hun leefgebied en de integratie in de Chileense samenleving, hebben de Mapuches veel tradities behouden. Zo spreken Mapudungu naast het Spaans.

De **Aymaras** in de noordelijke regio's hebben veel meer vast kunnen houden aan hun oorspronkelijke leefwijze. Dat heeft natuurlijk te maken met voor de Spanjaarden aanvankelijk weinig interessante omgeving. Het zwaartepunt van de Aymarabeschaving ligt in het hooggebergte en in de grensstreek met Bolivia, dicht bij het land van hun voorvaderen. Ze leven voornamelijk van de landbouw en veeteelt. Op de hoger gelegen gronden houden ze schapen, op de berghellingen waar ze terrassen

Allerlei gedroogde producten zijn te koop in deze winkel in de haven van Puerto Montt de meest zuidelijke stad van het land.

hebben aangelegd, verbouwen ze gerst, bonen en aardappels en in de valleien groenten en fruit.

De *familia extendida*, de grootfamilie, vormt nog altijd de spil van de sociale organisatie. De grootouders, neven, nichten, en de kinderen werken allemaal mee op het land en in het huishouden. Net als de Mapuche trekken steeds meer Aymaras naar steden, in dit geval Iquique en Arica. Vooral de jongeren verkiezen een onzeker bestaan in de stad boven de uitzichtloosheid van het bergland.

Een speciale plaats nemen de **Atacameños** in. Ze wonen in de weerbarstige omgeving van de Atacamawoestijn, in een fragiel evenwicht met de natuur. Hun samenleving is strak hiërarchisch georganiseerd. De middelen van bestaan variëren van de ambachtelijke kleermakerij en smederij tot de landbouw. Dankzij vernuftige netwerken van kanaaltjes kunnen ze op hun akkers gewassen als maïs, knoflook, kalebas en quinea verbouwen. Ook groeien er verschillende soorten fruitbomen.

De **Rapa Nui**, de inheemse inwoners van Paaseiland, hebben vanouds te maken gehad met plundertochten en slavernij door andere volkeren en kapers in de Stille Oceaan. Desondanks zijn ze erin geslaagd hun tradities en leefwijzen vast te houden. Zo spreken ze nog een eigen taal, het Vananga Rapa Nui. Hun schrift, het *Rongorongo*, is bestemd voor de ceremoniële gebeurtenissen. Dankzij het toerisme is de waardering voor de eigen identiteit en cultuur sterk toegenomen.

Rechteloos en achtergesteld

De positie van de inheemse bevolking is allesbehalve rooskleurig. Hun eigen cultuur wordt niet erkend in de grondwet. Door discriminatie, gebrekkige schoolopleiding en taalproblemen krijgen ze minder kansen op de arbeidsmarkt, in het onderwijs, laat staan in de politiek. Zodoende komen de maatschappelijke problemen waar ze mee worstelen niet voldoende voor het voetlicht. En die problemen zijn er volop; van de conflicten om de grond met de autoriteiten en de nieuwkomers in hun streken tot het tekort aan water en voedsel.

De Mapuches liggen voortdurend in conflict met de nieuwe investeerders over de grond. Al vanaf de dictatuur vecht dit inheemse volk in

De Chileense vlag is afgeleid van de vlag van de VS. De kleuren symboliseren het wit van de Andes-toppen, het blauw van de hemel en de zee en het bloed van degenen die stierven voor de vrijheid. De ster is 'een baken op het pad naar vooruitgang en eer'.

In de hoofdstad Castro op het eiland Chiloé verkopen jongens tweedehands kranten. Chiloe is het op een na grootste Chileense eiland en werd vroeger bewoond door Mapuches.

Valparaíso is tegen de hellingen van het kustgebergte opgebouwd.

het zuiden van Chili voor erkenning van hun grondgebied, meer autonomie en steun in hun strijd tegen de multinationals die hun leefgebied te gronde richten. Hun acties en protesten worden nog altijd als 'subversieve terreurdaden' aangemerkt, waardoor zij – conform de wetgeving van Pinochet – vervolgd kunnen worden door het militaire gezag, niet door de burgerrechter. Veel Mapucheleiders zitten op grond hiervan op jarenlange gevangenisstraffen uit.

Voor de Quechua's vormt de waterschaarste de grootste bedreiging. De Rapa Nui op Paaseiland willen vooral bestuurlijke autonomie.

La Ley Indígena

Sinds 1993 heeft Chili als een van de laatste landen in Zuid-Amerika een wet die de inheemse bevolking erkent. Vijf etnische groepen worden er onderscheiden: de Mapuches, de Aymara's, de Rapa Nui, de volkeren in het noorden (de Atacameños, de Quechua's en de Colla's) en de volken van het zuiden (de Kawashkar en de Yagán). Samen zijn dat ongeveer een miljoen inwoners.

Met deze wet is hun afstamming erkend en tevens hun recht op de traditionele grond. Wanneer individuen of gemeenschappen – van minstens tien personen – officieel zijn erkend als 'inheems', biedt de wet hen mogelijkheden voor de verwerving van eigendomsrechten op traditionele grond, recht op toegang tot waterbronnen, op studiebeurzen en op het vasthouden aan tradities en rituelen. De Corporación Nacional de Derecho Indígena, kortweg Conadi, is verantwoordelijk voor de correcte uitvoering van de wet. Maar het probleem is dat in de adviesraad van Conadi overheidsvertegenwoordigers de meerderheid van stemmen hebben.

De laatste jaren zijn er verbeteringen in de positie van de inheemse bevolking. Ze krijgen gemakkelijker studiebeurzen, subsidies voor de oprichting van eigen bedrijfjes en voor communicatiemedia in de eigen taal. Door de oprichting van diverse belangenorganisaties is hun positie zeker sterker geworden. Toch blijft met name de kwestie van de grond een hardnekkig dilemma. Als het erom gaat kiest de Conadi en de politiek voor economische belangen van het bedrijfsleven.

Chili-Vlaanderen, een bijzondere band

Chili was een van de eerste buitenlandse partners waarmee de auto-nome Vlaamse regering een samenwerkingsverband afsloot. Het illus-treert de sterke band tussen Chili en Vlaanderen. Deze dateert van de jaren vijftig en zestig, toen veel Chileense studenten in Leuven studeer-den. Gedurende de jaren zeventig groeide de Chileense gemeenschap in Vlaanderen sterk door de talloze ballingen die uitweken naar het land waar ze hun studententijd hadden doorgebracht. Op persoonlijk vlak tussen Chilenen en Vlamingen, en later door de betrokkenheid van niet-gouvernementele organisaties (ngo's) bij de ontwikkelingen in Chili, zijn de betrekkingen intensiever geworden. De ondertekening van het Vlaams-Chileens Samenwerkingsakkoord in oktober 1995 is de bekrachtiging daarvan. Overheid, bedrijfsleven, ngo's en onderzoeks-instellingen in beide landen doen gezamenlijk onderzoek, zetten pro-jecten op en wisselen informatie uit.

Zo zijn met financiële bijdragen van de Vlaamse regering timmerlieden opgeleid om de bijzondere houten kerkjes van Chiloé te restaureren. Op hetzelfde eiland, de bakermat van de aardappel, is er een gezamenlijk project om de kleinschalige aardappelproductie nieuwe impulsen te geven. Vlaamse instellingen helpen bij programma's om ecologisch ver-antwoord te ondernemen, bijvoorbeeld in de toerismesector in het zui-den van Chili. In Araucanië werken Broederlijk Delen en de Chileense ngo Sodecam samen met de plaatselijke Mapuche-bevolking aan de integrale plattelandsontwikkeling.

Unizo steunt Chileense organisaties om betere condities voor micro-empresas te creëren. De Universiteit van Gent werkt samen met de organisatie Cazalac in het onderzoekscentrum voor duurzaam water-beheer in La Serena, in de noordelijke regio. En de Orafti Group, een onderdeel van de Tiense Suikerraffinaderij, investeert aanzienlijk in de teelt van cichorei voor de productie van voedingssupplementen.

De armoedige leefomstandigheden in de steden is voor veel indígenas het allergrootste probleem. Als ze al werk hebben, worden ze schande-lijk uitgebuit. Hun lonen en vergoedingen liggen stukken lager dan die aan 'gewone' Chilenen. Dankzij de speciale *Ley Indígena* (inheemse wet), die in de jaren negentig werd ingesteld, is hun positie wel iets verbeterd.

Tijdens haar verkiezingscampagne beloofde Michelle Bachelet dat zij meteen na haar overwinning een 'betekenisvol signaal' af zou geven. Ze zei de problemen van de inheemse bevolking 'te zien' en kondigde beleid aan dat hun positie structureel zou verbeteren. Mapuche-organisaties hebben niet afgewacht en hebben een eisenpakket gepresenteerd met drie centrale boodschappen: erkenning van hun politieke rechten, een rechtvaardige, billijke en respectvolle relatie tussen de Mapuches en de Chileense staat en de teruggave van hun grondgebied en de controle daarover.

Civil society, levendig en mondig

Dankzij de democratisering is het maatschappelijke middenveld tot grote bloei gekomen. Vakbonden waren tijdens de dictatuur aan banden gelegd. Nu vervullen ze weer een vooraanstaande rol bij de verbetering van de rechtspositie en het reële inkomen van de werknemers. Op tal van terreinen zijn er burgerorganisaties, die zich al dan niet op vrijwillige basis inzetten voor zaken als mensenrechten, arbeidsomstandigheden, duurzame productie, natuur, milieu en biodiversiteit.

In de nasleep van de dictatuur zijn er commissies en groeperingen gevormd, die ijverden voor de belangen van de slachtoffers van de vuile oorlog en hun familieleden. De *Comisión Nacional de la Verdad y la Reconciliación* (de waarheid- en verzoeningscommissie, CNVR) die in 1990, meteen bij het aantreden van de regering van Patricio Aylwin, werd ingesteld bleek een enorme katalysator. Behalve een nauwkeurige beschrijving van wat er allemaal is gebeurd tijdens de militaire dictatuur, heeft de CNVR aanbevelingen gedaan voor het waarborgen van de mensenrechten, alsmede de hervorming van het justitieel apparaat, de politie en het leger. Mede door voortdurende aandacht en druk van de kant van organisaties van nabestaanden, zoals de *Agrupación de Familiares de Ejecutados Políticos* (familieleden van geëxecuteerde politieke gevangenen), *Agrupación de Familiares de Detenidos Desparacidos* (familie van de verdwenen gevangenen) zijn die veranderingen ook daadwerkelijk doorgevoerd. Dankzij deze twee organisaties is Villa Grimaldi, het voornaamste martelcentrum ten tijde van de vuile oorlog, behouden en ingericht als blijvende herdenkingsplaats.

Sinds 1993 is *Acción* opgericht, een koepelorganisatie van ruim zeventig Chileense organisaties en groepen voor de mensenrechten in brede zin. Acción vestigt de aandacht op de sociale en economische tegenstellingen in de samenleving. Ze doet zelf onderzoek, organiseert bijeenkomsten en manifestaties en laat duidelijk haar mening horen over het beleid van de overheid en het bedrijfsleven.

Movilh zet zich in voor de gelijke rechten van homoseksuelen en voert voortdurend campagne tegen de conservatieve opvattingen van de katholieke kerk over homoseksualiteit.

Renace is een netwerk van milieu- en natuurorganisaties, dat bijvoorbeeld uiterst kritisch de verdere ontwikkeling van de zuidelijke bosgebieden volgt. Zo voert ze campagne tegen de grootschalige bosbouw, de bouw van elektriciteitscentrales en de aanleg van hoogspanningsleidingen in kwetsbaar bosgebied. Andere campagnes van Renace richten zich op duurzaam watergebruik, behoedzaam omgaan met UMTS-masten voor mobiele telecommunicatie vanuit het oogpunt van de volksgezondheid en het tegengaan van het gebruik van transgene voedselgewassen.

De website www.sociedadcivil.cl geeft een actueel overzicht van de verscheidenheid aan projecten en campagnes door de ngo's.

Economisch gezien is Chili een succesnummer. Dankzij het liberale beleid zijn de investeringen sterk gestegen en is de economie ingrijpend gemoderniseerd. De keerzijde van de medaille is dat de economie grotendeels draait op de export en daardoor erg kwetsbaar is voor de ups en downs van de wereldmarkt.

Het is verleidelijk bij een bespreking van de Chileense economie uitgebreid stil te staan bij de sectoren waar de afgelopen tijd grote successen zijn geboekt, zoals in de agrarische sector, waar met name fruit en wijn belangrijke pijlers zijn geworden. Ook de visserijsector en de bosbouw dragen bij aan de dynamische economische ontwikkeling. In de dienstverlening is de opmars van ICT-bedrijven en het toerisme opvallend. De keerzijde is de overlevingsstrijd die veel middelgrote en kleine bedrijven moeten leveren in de open economie. Naar verhouding is de informele sector in Chili groot, wat duidt op de grote onevenwichtigheid in de economische structuur.

Schokgolven in het beleid

In een halve eeuw tijd is het Chileense economische beleid heen en weer gegaan tussen protectionisme en neoliberalisme, tussen importsubstitutie en exportbevordering, tussen een nadrukkelijke aanwezige staat en ruim baan voor het particulier initiatief.

Om de economische basis te verbreden en de afhankelijkheid van het buitenland te verminderen, zette de Chileense regering vanaf de Tweede Wereldoorlog in op de strategie van importvervanging. Een fors deel van het geld dat binnenkwam met het aantrekken van de mijnbouwexport ging op aan het kopen van kapitaal- en consumptiegoederen uit het buitenland. Met royale subsidies en hoge importtarieven stimuleerde de overheid de binnenlandse productie. Ook ging de staat zelf deelnemen in strategische sectoren als de staal- en de olieproductie en de energiewinning.

Het beleid van importsubstitutie, in die tijd in heel Latijns-Amerika populair, legde de basis voor een brede consumptie-industrie en deed een nieuwe groep van Chileense ondernemers ontstaan. Over het algemeen viel het effect van de strategie tegen, omdat de duurdere kapitaalgoederen nog altijd uit het buitenland moesten komen en, veel belangrijker nog, de Chileense bedrijven bij gebrek aan concurrentie producten leverden van lage kwaliteit. Hoe kwetsbaar de economie nog altijd was, bleek toen na de Koreaanse Oorlog de koperprijzen kelderden en het land in een diepe crisis terechtkwam.

De Chileense economie was aan de vooravond van de grote omwenteling in de jaren zeventig in hoge mate afhankelijk van de staat. De helft van de nationale productie en driekwart van de investeringen vond direct en indirect plaats dankzij de overheidssteun. Daar kwam nog eens bij dat de christen-democratische regering van Eduardo Frei de greep op de mijnbouwsector probeerde te versterken.
Het effect was dat veel buitenlandse bedrijven filialen begonnen in Chili, gebruik maakten van de subsidies, tariefmuren en andere beschermende maatregelen, en toch het grootste deel van de winst het land uit sluisden.

Tijdens de drie jaar dat Salvador Allende's Volksfront aan de macht was, nam de overheidsinvloed in de economie verder toe. Van de ene op de andere dag kwam de complete mijnbouwsector in staatshanden, en later nationaliseerde de regering de banken, verzekeringsmaatschappijen en nutsbedrijven.
Ondanks de felle tegenstand die de Volksfrontregering ondervond van de resterende particuliere ondernemers boekte Allende behoorlijke economische successen. Het aantal arbeidsplaatsen nam met 200.000 toe. De industriële productie groeide in 1971 met 12,5 procent, niet zozeer door nieuwe investeringen, maar vooral door het beter benutten van de productiecapaciteit.

Het jaar erna was het feest voorbij. De Chileense regering kwam in zwaar weer door een scherpe daling van de koperprijzen, gierende inflatie en groeide betalingsbalansproblemen. Op de internationale markt kon Allende bijna geen krediet meer krijgen door de boycot van de Amerikanen en andere landen. De binnenlandse voedselvoorziening kwam onder druk door de gevolgen van de landhervorming, waardoor de productie sterk daalde. De transportstakingen en het hamsteren door de consumenten verhevigden de problemen.

Open deur voor de vrije markt

Toen de militairen de macht hadden overgenomen, ging het beleid volledig om. De importsubstitutie werd overboord gezet, de deur voor vrije markt ging open.

Pinochet en zijn economische team waren fervent aanhangers van de Amerikaanse econoom en Nobelprijswinnaar Milton Friedman. De superliberaal was er heilig van overtuigd dat een gezonde economie gebaat was bij een minimum aan overheidsbemoeienis. Zijn volgelingen kregen de bijnaam 'Chicago-boys', naar de Chicago University waar Friedman doceerde. Kernpunten in het beleid waren: verkoop van staatsbedrijven, met uitzondering van de mijnbouwsector, afschaffen van de overheidssubsidies, herstel van de vrije markt, open grenzen voor buitenlandse investeringen. Met de devaluatie van de peso kreeg de export vleugels en werd de invoer peperduur. De economische groei in de tweede helft van de jaren zeventig was veelbelovend, de investeringen uit het buitenland schoten omhoog.

Toch vertoonde het neoliberale model toen al haarscheurtjes. De pijn in de beginfase was enorm, vooral bij de minder draagkrachtigen en de kwetsbare nationale bedrijvigheid. Door de prijsstijgingen van zowel consumentenproducten als kapitaalgoederen viel de consumptie zwaar terug. Tienduizenden werknemers verloren hun baan. De daling van de koopkracht legde een bom onder de economie en de sociale gevolgen waren ingrijpend.

Op het platteland werd ruim een kwart van het door het Volksfront onteigende grootgrondbezit weer teruggegeven aan de markt. Op den duur versterkte dat de positie van de middelgrote bedrijven, maar voordat die in de jaren tachtig de productie weer op peil hadden kampte het land met grote voedseltekorten. In 1977 moest Chili voor 322 miljoen dollar aan voedsel importeren, in 1981 was dat opgelopen tot 639 miljoen dollar.

1983 was economisch een rampjaar voor de Chilenen. De koperprijzen daalden opnieuw. Het betekende het failliet van het ongebreidelde neoliberale beleid. De militaire junta had het beleid gefinancierd met miljarden aan buitenlandse kredieten. Langzamerhand was die schuld torenhoog opgelopen (17 miljard dollar in 1982!) en de aflossing werd bijkans onmogelijk. Tegelijkertijd liepen de investeringen en de koopkracht zwaar terug, en was de werkeloosheid dramatisch gestegen. De Chicago-boys werden definitief bij het oud vuil gezet, en sommigen gingen de cel in op beschuldiging van fraude.

Economische kerncijfers

Bruto binnenlands product: 145, miljard dollar
Economische groei: 4,3% gemiddeld laatste tien jaar
BBP per hoofd van de bevolking: 8.875 dollar
Inflatie: 2,6%
Uitvoer: 58,1 miljard dollar
       Belangrijkste producten: koper, houtpulp, verse vis, vismeel, fruit, wijn
       Belangrijkste partners: EU, VS, Japan, China, Zuid-Korea
Invoer: 35,9 miljard US
       Belangrijkste producten: aardolie, aardgas, chemische producten, machines
       Belangrijkste partners: EU, Argentinië, VS, Brazilië, China
Buitenlandse schuld: geen

Bron: Ministerie van Buitenlandse zaken, Den Haag (cijfers over 2006).

Succesvolle transformatie

De tweede helft van de jaren tachtig keerde het economisch tij. Met de nadruk op exportpromotie en steun voor bedrijven die zich op de export richtten, kwam de Chileense economie weer op gang.

Tal van nieuwe buitenlandse bedrijven vestigden zich in Chili. Naast de mijnbouw, de vismeelproductie en de bosbouw, traditioneel de pijlers onder de economie, is er veel expansie in de land- en tuinbouw, de voedings- en genotmiddelenindustrie, de chemische industrie, papierproductie, de uitgeverijsector, de metaalbewerking en de apparatenbouw, de productie van olie en gas en energieopwekking, cement en textiel en een breed scala aan consumentenproducten. De jaarlijkse groei van gemiddeld 6 procent levert fraaie rapportcijfers op, maar belangrijker nog is dat de buitenlandse schuld vrijwel is afbetaald en de inflatie beteugeld.

Mijnbouw en industrie

Sinds de 19de eeuw is de mijnbouw voor Chili van levensbelang. Indertijd was het nitraat, nu zijn daar koper en andere mineralen bijgekomen. De Chileense kopermijnen behoren inmiddels tot de rijkste en meest efficiënte van de wereld. Ze zorgen voor een derde van de koperproductie in de wereld. Voor natuurlijke nitraten en lithium, dat wordt toegepast in onder meer batterijen en speciale glassoorten, is Chili eveneens de voornaamste producent. Andere metalen en mineralen, die dit land uit de bodem haalt, zijn molybdeen, ijzer, jodium, zout en toch ook aardig wat zilver en goud. Vrijwel de gehele productie uit de mijnbouw gaat naar het buitenland. De mijnbouw is goed voor 40 procent van de exportinkomsten.

Het hart van de mijnbouw

Het zwaartepunt van de mijnbouw bevindt zich in de noordelijke regio's. Sinds daar salpeter en nitraat zijn gevonden, draait de economie van El Norte Grande en El Norte Chico grotendeels op de mijnbouw. Er zijn grote complexen met dagbouw waar dagelijks duizenden tonnen grond worden afgegraven en gezuiverd om de metalen eruit te halen. De Chuquicamata-mijn, in de volksmond Chuqui, *bij Calema groeide in de 20ste eeuw uit tot een van de grootste open kopermijnen ter wereld. De modernste is momenteel* Minera Escondida, *een immense open kopermijn in de Atacama-woestijn 170 km ten zuidoosten van Antofagasta; met een productie van 350 miljoen ton per jaar is dit momenteel de grootste ter wereld.*

Historie van de kopermijnbouw

De kopermijnbouw in Chili gaat terug tot heel vroeg in de 19de eeuw. De mijnen waren klein en lagen verspreid. Kleine onafhankelijke ondernemingen exploiteerden het metaal, dat vervolgens werd verhandeld naar het buitenland. Zo is het altijd gebleven, alleen is de technologie, de omvang en de structuur in de loop der tijden ingrijpend veranderd. Dat begon al met de komst van Amerikaanse investeerders. Zij raakten rond de eeuwwisseling geïnteresseerd in het land achter de Andes, omdat de voorraden er erg groot bleken en het er in die tijd relatief politiek stabiel was.

De Amerikaanse ingenieur William Braden was een van de pioniers, toen hij in 1904 een concessie verwierf om de El Teniente-mijn bij Rancagua, onder Santiago, te exploiteren. Het koper wordt hier ondergronds gewonnen. El Teniente groeide als onderdeel van de Amerikaanse kopermultinational Kennecott Utah Copper Corporation in de 20ste eeuw uit tot de grootste ondergrondse kopermijn ter wereld.

In het noorden van het land kreeg een ander groot Amerikaans concern de rechten om koper te winnen, de Anaconda Copper Mining Company. Eerst nam ze de exploitatie over in de Chuquicamata-mijn. In 1927 opende Anaconda een nieuwe mijn, El Salvador bij Porterillos. Daarmee was vrijwel de hele kopermijnsector in handen van twee buitenlandse bedrijven. De mijnen waren een wereld op zichzelf met eigen nederzettingen voor de mijnwerkers en het administratief personeel, eigen infrastructuur, eigen voorzieningen zoals scholen, klinieken, vrijetijdsclubs en winkels.

Van wie is het koper?

Tijdens de Grote Depressie bleek de gevoeligheid van de economie. Bovendien verdiende de Chileense staat vrijwel geen stuiver aan de koper. De Tweede Wereldoorlog bracht nieuwe perspectieven, omdat de vraag naar koper voor de oorlogsproductie gigantisch toenam. Om meer inkomsten uit de mijnbouw te genereren, richtte de toenmalige regering het Departamento Del Cobre op. Deze overheidsinstantie zou de onderhandelingen met de multinationals voeren om meer inkomsten uit de sector te genereren. Met weinig succes. Daarom kwam president Eduardo Frei in 1966 met een wet, waarin de invloed van de staat in de mijnbouw werd geregeld. Tevens ging het Koperministerie over in de Codelco, Corporación del Cobre Chileno, met meer bevoegdheden en een eigen investeringsplan. Zo ging de staat een jaar later voor 25 procent deelnemen in de nieuwe La Exotica-mijn, samen met Anaconda, die 75 procent in handen had. Bovendien verwierf Codelco een meerderheids- belang van 51 procent in El Teniente.

In 1969 kwam president Frei met Anaconda overeen dat de staat ook een meerderheidsbelang verwierf in de twee andere mijnen Chuquica- mata en El Salvador, alsmede het recht van Codelco om in een later stadium het volledige eigendom te verkrijgen.

Volledige nationalisatie

De overeenkomst met de kopermultinationals kwam Frei op felle kritiek te staan, zowel van de linkse oppositie als in zijn eigen christendemo- cratische partij. Chili betaalde veel te veel geld voor het meerderheids- aandeel en zegde ook nog eens toe honderden miljoenen dollars in de mijnen te investeren. En dat terwijl de koperverkoop en de winsten daarvan gewoon naar Anaconda en Kennecott toevloeiden.

Dit alles vormde de voorbode voor de complete nationalisatie zonder compensatie van de Chileense koperindustrie door de regering van pre- sident Salvador Allende. Dat gebeurde op 11 juli 1971, een dag die in heel het land werd gevierd als de Dag van de Nationale Waardigheid.

Allende rekende voor dat de twee Amerikaanse bedrijven miljarden dol- lars hadden verdiend aan de kopermijnbouw in Chili. Door die winsten ter vergelijken met de winsten van de ondernemingen elders in de wereld, bleek dat de multinationals een veelvoud hadden verdiend van de boek- waarde van de ondernemingen in Chili. Daarom betaalde de staat geen compensatie.

Opmerkelijk genoeg heeft het regime van Augusto Pinochet de nationa- lisatie van de kopermijnen nooit teruggedraaid. Wel is er weer ruimte gekomen voor buitenlandse investeringen in de sector.

Weer ruimte voor ondernemerschap

Met de vele buitenlandse bedrijven is de productiviteit in de mijnbouw, en daarmee de concurrentiekracht sterk toegenomen. De perspectieven zijn gunstig door de gestegen vraag uit opkomende industrielanden als China en India en nieuwe aangetroffen reserves. Dankzij geavanceerde technieken zijn bekende reserves rendabel te exploiteren. Daarom is de

Chileense mijnbouw zeer aantrekkelijk voor buitenlandse investeerders. Die komen dan ook in groten getale, Amerikanen en Canadezen voorop. Nieuw mijnen staan op het punt te worden geopend, andere worden uitgebreid. Zo denkt Codelco erover om de Chuquicamata-mijn ondergronds uit te breiden, omdat de mijn inmiddels te diep is afgegraven. Vlakbij deze mijnlocatie is het staatsbedrijf bezig met een nieuw project, de Gaby-mijn.

Anglo American gaat de werkzaamheden in de Disputada de las Condes mijn uitbreiden. Dit houdt bijvoorbeeld in dat de capaciteit van de Chagres smelter zal worden uitgebreid. Hetzelfde bedrijf wil samen met Falconbridge en Mitsui beginnen met werkzaamheden in de Collahuasi-mijn.

De Chileense overheid zoekt samenwerking met buitenlandse bedrijven om de mijnbouw schoner te maken. Het gaat daarbij vooral om water, afval, bodemsanering en energiemanagement. Technieken voor het zuiveren en hergebruiken van water, het verwerken en recyclen van afvalslib en andere materialen, en het zuiniger gebruik van energie. Zo werkt het Nederlandse Arcadis aan een plan om het vervuilde water van de Chuquicamata-mijn te zuiveren en opnieuw te gebruiken in het verdere productieproces.

Land- en tuinbouw

Wie door de valleien van Centraal-Chili rijdt, of het vruchtbare heuvelland rond de meren bezoekt, raakt onder de indruk van de moderne aanblik die met name de fruitteelt en de wijnbouw bieden. Strak aangeplante boomgaarden, druivenranken in lange rijen tot op de heuvelhellingen. De gebouwen en infrastructuur zijn in veel gevallen gloednieuw. In de fruitteelt zijn het merendeels middelgrote bedrijven, efficiënt producerend en goed inhakend op de specifieke marktvraag. De wijngaarden zijn met uitzondering van een paar oeroude familiebedrijven in handen van grote wijnhuizen.

Een groot contrast daarmee vormt de akkerbouw, die meestal op kleine boerenbedrijven plaatsvindt en weinig modernisering ondergaat.

Sterke groeiers

De agrarische sector is goed voor zo'n 5 miljard dollar per jaar; 5 procent van de binnenlandse productie. Samen met de agro-industrie loopt het aandeel op tot 15 procent. De bijdrage aan de werkgelegenheid is iets minder: 13 procent, maar toch substantieel. Vooral in de oogsttijd trekt de agrarische sector veel meer mensen aan. Er wordt dan vooral een beroep gedaan op seizoensarbeiders uit Peru en Bolivia.

De fruitteelt is binnen de agrarische sector het belangrijkst qua productie (30 procent), gevolgd door de veeteelt (27) en op enige afstand de tuinbouw (13 procent) en de bosbouw (13 procent).
Sinds de jaren negentig van de vorige eeuw is het Zuid-Amerikaanse land een grote speler op de wereldmarkt voor fruit. Er is jaarlijks zo'n 2 miljard dollar omzet mee gemoeid. Wereldwijd is Chili de tweede exporteur van tafeldruiven en peren en derde met de appelproductie. Daarnaast is de teelt van meloenen en sinaasappels met een opmars bezig. Verreweg de meeste export gaat naar de VS (46 procent), gevolgd door de EU (22 procent).

Een duidelijk stijgende trend ondergaat ook de vleesproductie. Het gematigde klimaat in het zuidelijke deel van Chili is goed geschikt voor veeteelt. Met name in het merengebied is de veehouderij hoofdmiddel van bestaan, zowel voor de vlees- als de zuivelproductie. Er is in deze sector een aanzienlijke schaalvergroting aan de gang. Vooral de bedrijven in de varkens- en pluimveehouderij gaan toe naar megaproductie. Stallen van 120.000 varkens zijn geen uitzondering. De opmars van de vleesproductie is goed zichtbaar in de export van rund-, kippen- en varkensvlees; sinds 1999 is de waarde ervan vertienvoudigd, van 65 tot 600 miljoen dollar gestegen.

Bosbouw

Bosbouw heeft vanouds al een sterke positie. De immense oppervlakten met maagdelijke bos van hoge kwaliteit bomen oefende al in de koloniale tijd een grote aantrekkingskracht uit op de internationale houthandel. Enorme lappen bosgebied zijn verdwenen. Gelukkig is die tijd voorbij, met de strenge regelgeving, de maatschappelijke druk en de projecten voor herbebossing.

Omslag naar duurzame productie

Het verder uitbouwen en verbreden van de agrarische sector en de agro-industrie is een speerpunt in het Chileense regeringsbeleid. De vooruitzichten zijn gunstig, al maakt de gerichtheid op de export de sector kwetsbaar voor schommelingen in de prijzen en niet te vergeten de wisselkoersen. Met een sterke peso heeft de exportsector het moeilijk op de wereldmarkt. Niettemin wil het ministerie van Landbouw het bebouwde oppervlakte jaarlijks met 4 procent uitbreiden. Vooral de export van wijnen, vers fruit, vlees, melkproducten en hout zijn kansrijk en zullen de komende jaren aanzienlijk groeien, zo is de verwachting. Onderzoek en innovatie ten behoeve van schonere en efficiëntere productie en het voorkomen van planten- en dierziektes krijgen ruim aandacht. Hiervoor zijn in 2005 het *Agencia para la Inocuidad Alimentaria* (Chileense Agentschap voor de Voedselveiligheid) en de *Consejo para la Innovación Agraria* (Raad voor Agrarische Innovatie) gecreëerd.

In de fruitexportsector is een convenant gesloten voor duurzamere productie, onder meer door gebruik te maken van biotechnologie.

De modernisering van de Chileense landbouwsector kan afgelezen worden aan de aandacht voor innovatie; niet alleen om de productie efficiënter te maken, maar evengoed ten behoeve van de voedselveiligheid en het milieu.

De uitbraak van dierenziekten als varkenspest, mond- en klauwzeer, BSE en vogelgriep in Europa en Azië hebben de Chileense autoriteiten gewezen op het belang van gezonde en diervriendelijke productie. Het schandaal met de vervuilde zalm in 2006, waar kwekerijen in het zuiden van Chili bij waren betrokken, heeft de autoriteiten verder wakker geschud. Vandaar dat er nu veel aandacht is voor de opzet van controlesystemen om ziekten te traceren en de kwaliteit van agrarische producten te borgen. Op de verpakking van veel producten staat net als in veel Europese landen aangegeven uit welke gebieden en van welk bedrijf ze komen.

Het Nationale Fonds ter Bevordering van de Landbouw- en Veeteelt-uitvoer (FPEA) kent jaarlijks subsidies toe aan innoverende projecten: 15 miljoen dollar in 2006. De Chileense overheid initieert veel onderzoeksprogramma's waar de particuliere sector gretig gebruik van maakt. In 2003 zijn naar aanleiding van het vrijhandelsverdrag met de EU programma's gestart voor gedroogde en verwerkte vruchten en noten.

De afgelopen jaren investeerde het ministerie van Landbouw honderden miljoenen dollars in projecten om het landbouwgebied uit te breiden, zowel door herstel van uitgeputte gronden, irrigatie als door het steunen van kleinschalige boerenbedrijven. Het betreft de programma's *Sistema de Incentivos Recuperación de Suelos Degradados* (SIRSC) (herstel uitgeputte gronden) en *Programa de Construcción y Mejoramiento de Obras de Riego* (irrigatie).

Met een drietal projecten voor de aanleg van nieuwe stuwmeren wil de Chileense regering het landbouwareaal, met name in het zuiden met ten minste 150.000 ha uitbreiden.

Overige sectoren

Vis en visproducten

Net als de wijn en het fruit is de vissector een succesvolle bedrijfstak. Vanouds is het land een prominente producent van vismeel, maar daar is nu de kweek van tal van soorten vis bijgekomen. De klimatologische condities en het schone water in Zuid-Chili, en natuurlijk het gunstige ondernemersklimaat trekken veel buitenlandse ondernemingen aan. In de grote en kleine havens rond de baaien, fjorden, van Chiloë, bij Puerto Montt en Chileens Patagonië, overal kom je bassins met forel en zalm tegen. Onder de buitenlandse bedrijven die de Chileense kweekzalm in de markt hebben gezet, neemt het Nederlandse Nutreco International een vooraanstaande plaats in. De laatste jaren zijn het vooral de Noren die Chili als visland hebben ontdekt, zeker nu ze zelf door de Chilenen van de eerste plaats zijn verdrongen als producent van gekweekte zalm. De viskweek is een enorme groeimarkt in Chili, met innovatie en moderne schone technologie als leidraad. Behalve zalm en forel, richt de sector zich nu op de relatief dure vissoorten zoals tarbot, haai en meerval.

De visserijsector is sterk op de export gericht. Ruim tweederde van alle vis gaat in de vorm van vismeel, visolie en verpakt naar Japan en de VS.

Handelsrelaties met Nederland/België

Handel van Nederland met Chili (in mln. euro)

	Invoer	Uitvoer
2004	719,1	195,3
2005	1.142,6	220,9
2006	1.391,8	335,0

Bron: Economische Voorlichtingsdienst (EVD)

Handel van België met Chili (in mln. euro)

	Invoer	Uitvoer
2004	193,0	135,1
2005	233,1	190,0
2006	256,6	213,4

Bron: Ministerie van Economische Zaken, België

Energie

Voor de energievoorziening is Chili aangewezen op thermische elektriciteitscentrales en waterkracht. De opwekking, transmissie en distributie van elektriciteit zijn in Chili geprivatiseerd en de kwaliteit van levering en dienstverlening is, naar internationale maatstaven, relatief hoog. De prijzen op de consumentenmarkt worden gereguleerd, terwijl de prijzen voor industrie en mijnbouw via marktwerking tot stand komen. De overheid acht prijsregulering noodzakelijk om monopolievorming tegen te gaan in gebieden waar bepaalde distributeurs vrijwel het alleenrecht hebben. Een belangrijk deel van de thermische elektriciteitscentrales maakt gebruik van aardgas uit Argentinië. Op basis van gastoevoer via leidingen uit Argentinië heeft het Chileense aardgasnet zich de laatste jaren sterk uitgebreid. In 1999 kwamen twee gasleidingen in het noorden gereed: de GasAtacama leiding vanuit Salta in Argentinië naar Mejillones in Chili en de NorAndina leiding tussen Salta en Tocopilla. Begin 2000

Vismarkt in Valdivia. Vooral de viskweek is zeer succesvol; behalve op zalm en forel richt de sector zich op duurdere vissoorten zoals tarbot, haai en meerval.

werd het Gasoducto del Pacifico, tussen Loma de la Nata en Neuquén in Argentinië en Talcahuano in het zuiden van Chili aangelegd. Het laatste project is de GasAndes pijpleiding vanuit La Mora bij Mendoza.

Toegenomen kwetsbaarheid

Aardgas is door de aansluiting op het distributienetwerk van de Argentijnen een steeds belangrijkere energiebron voor Chili geworden. Elektriciteitscentrales die vroeger op kolen stookten, zijn overgeschakeld op gebruik van aardgas. Ook voor de op dieselolie opererende industrie- en transportsector blijkt aardgas niet alleen een schoner, maar ook goedkoper alternatief. De elektriciteitscentrales die op aardgas werken, draaien volgens het *combined cycle* principe. Bij deze vorm van opwekking wordt gebruik gemaakt van co-generatie, wat zorgt voor een efficiënter gebruik van brandstoffen dan in conventionele centrales. De meeste van deze centrales hebben de flexibiliteit om ook op een andere vorm van brandstof te draaien.

Om te voldoen aan de groeiende behoefte aan elektriciteit is Chili aangewezen op meer invoer van gas uit Argentinië. Maar die toevoer is de laatste jaren onzeker geworden omdat Argentinië met het aantrekken van de eigen economie zelf meer gas nodig heeft. Het levert soms nog geen kwart van de hoeveelheid die op grond van het gasprotocol van 1995 tussen beide landen is afgesproken. Dit levert grote problemen op voor het Chileense bedrijfsleven. Dat moest noodgedwongen overschakelen op andere energiebronnen, zoals olie, die een stuk duurder zijn. Honderden bedrijven moesten de productie verlagen of zelfs stilleggen. De onzekerheid van levering binnen Chili is inmiddels zo groot, dat sommige bedrijven toestemming vragen voor de bouw van een eigen kleine energievoorziening.

Vooralsnog ontziet de regering via de *Comisión Nacional de Energía* (CNE) de huishoudens. Maar of dat zo zal blijven, is afhankelijk van de klimaatsveranderingen en de ontwikkeling van de economie. Beide beinvloeden de vraag namelijk meteen. Waarschijnlijk zullen de prijzen van energie wel gaan stijgen, met name door het gebruik van duurdere alternatieve energiebronnen.

De klimatologische omstandigheden in Chili zijn optimaal voor de druiventeelt. Er zijn meer zonne-uren dan in Europa, de oceaan zorgt voor de juiste vochtigheidsgraad en het smeltwater van de Andes zorgt voor irrigatie. De regen valt in de winter en in het voorjaar. Tijdens de rijping, van december tot maart, is het droog. Vanwege de beschutte ligging in de valleien en de stevige verschillen tussen de dag- en de nachttemperatuur krijgen de druiven een volle en krachtige smaak. De meeste Chileense wijnen hebben een laag zuurgehalte en zijn fruitig. Ze zijn snel op dronk, waardoor ze gunstig in de markt liggen.

Boeren in het Merendistrict. In tegenstelling tot de succesvolle agrarische exportsectoren vindt de akkerbouw meestal nog op kleine boerenbedrijven plaats.

Verbreding en schone energie

Vanwege de problemen met de gasleveranties uit Argentinië wil de overheid de plannen voor capaciteitsuitbreiding van het productievermogen vervroegd uitvoeren. Daarbij wil ze meer diversificatie van zowel energiebronnen als leveranciers.

Voor het diversifiëren van de gastoevoer zou aardgas uit Bolivia economisch en bedrijfsmatig gezien de beste oplossing zijn, maar Bolivia is daar politiek nog niet aan toe. Om snel iets te doen aan de grote afhankelijkheid van Argentijns aardgas, heeft de Chileense regering daarom besloten bij Quintero (iets ten noorden van Valparaíso) een aanlandingsplaats voor het vloeibare gas LNG te construeren, met een installatie voor het wederom gasvormig maken (projectkosten 400-500 miljoen dollar). Een dergelijke centrale geeft Chili de mogelijkheid in meer verschillende delen van de wereld brandstof te kopen.

Opwekking van elektriciteit door middel van waterkracht vormt ook voor de toekomst een van de belangrijkste alternatieven voor thermische centrales. Geschat wordt dat Chili een potentieel aan hydraulisch vermogen heeft van 22.480 MW. Dat is meer dan acht keer zoveel als op dit moment wordt ingezet. De verwachting is echter dat het aandeel van hydraulische energieopwekking in de totale energiehuishouding zal afnemen, omdat de regering dit alternatief niet stimuleert. Waterkrachtcentrales ondervinden in toenemende mate tegenstand van milieugroepen en de lokale inheemse bevolking, die vrezen weer een stuk van hun leefgebied te verliezen. Daarnaast zorgt een te groot aandeel van energie op basis van waterkracht voor een onwenselijke afhankelijkheid van klimatologische omstandigheden.

Buitenlandse handel en investeringen

Chili is in trek bij buitenlandse investeerders. Opmerkelijk is dat de investeringen overwegend plaatsvinden in bestaande ondernemingen en minder in nieuwe vestigingen. Zo verkocht Telefónica CTC Chile haar dochteronderneming Telefónica Móvil aan het Spaanse Telefónica voor 1,4 miljard dollar; het Spaanse Endesa pompte 2,2 miljard dollar in haar lokale vestigingen voor de afbetaling van schulden. Dit maakte dat Chili met 7,8

miljard dollar in 2006 in Latijns-Amerika de op een na de grootste ont-
vanger was van buitenlandse investeringen (na Mexico maar vóór Brazilië).

Bestrijding van de informele economie

*Een op de vijf Chilenen van 15 jaar of ouder die minstens 20 uur per
week werken, heeft geen formele arbeidsovereenkomst. Tussen de 40
en 50 procent van alle Chileense bedrijven werkt informeel, oftewel
niet-geregistreerd. Voor een land met een stevige economische basis en
een stabiele economische groei is dat een extreem hoog getal. In een
OESO-rapport (eind 2007) wordt het verminderen van de informaliteit
dan ook beschouwd als een prioriteit voor de Chileense overheid.
Informeel werk maakt werknemers kwetsbaar, want zo gauw er minder
werk is, vliegen ze de laan uit. Ze zijn ook niet verzekerd tegen onge-
vallen en arbeidsongeschiktheid. Ze hebben geen enkel recht en verliezen hun inkomen. Bedrijven, vooral middelgrote en kleine ondernemingen, zijn terughoudend om werknemers een arbeidsovereenkomst te
geven, omdat de regelgeving, die ze zich dan op de hals halen, com-
plex is en ze premies en belasting af moeten dragen.
De overheid loopt flink wat belastinginkomsten mis en de economische
weerbaarheid van een flink deel van de bevolking is beneden de maat.
De OESO constateert een duidelijke relatie met de gemiddeld lage op-
leidingsgraad van de beroepsbevolking, vooral onder jongeren en vrouwen. Met name die groepen zijn dus zeer kwetsbaar op de arbeidsmarkt.
De Chileense regering probeert de informaliteit terug te dringen met
vereenvoudiging van het belastingstelsel en simpeler regels, gekoppeld
aan een intensieve publiciteitscampagne. De controle op de naleving
van de wettelijke eisen is al veel sterker dan vroeger. Al enige tijd werken de regering en het Congres aan een ingrijpende hervorming van het
pensioenstelsel, dat het voor veel meer Chilenen mogelijk maakt om
geld opzij te leggen voor de oude dag. Ook komt er een verplichte wer-
keloosheid- en ziekteverzekering. Nu hebben vooral overheidsambtena-
ren en werknemers in vitale sectoren een royale (en voor de overheid
kostbare) pensioenvoorziening. Die zal volgens de eigentijdse normen
worden versoberd, maar via de politiek en de vakbonden is daar vanzelfsprekend veel weerstand tegen.*

Chili opereert op vele buitenlandse markten. Het vrijhandelsblok Mercosur, met onder meer de grote Zuid-Amerikaanse landen Brazilië en Argentinië, is een belangrijke partner aan het worden. De VS en de EU waren dat al. Met deze beide laatste zijn vrijhandelsverdragen afgesloten in respectievelijk 2004 en 2003. Nieuwe vrijhandelsverdragen zijn voorzien met China, India, Nieuw-Zeeland en Singapore. Vooral China als India rukken op als het gaat om het lijstje van belangrijke handelspartners.

Tussen Chili en Nederland bestaat een actieve en dynamische handel. Voor de Chileense export is Nederland de belangrijkste bestemming binnen Europa; wereldwijd staat Nederland op de vierde plaats (na de VS, Japan en China). Van de totale investeringen vanuit de EU in Chili in de afgelopen tien jaar nam Nederland 8 procent voor zijn rekening. Daarmee staat het op de vierde plaats onder de EU-landen. Onder de Nederlandse bedrijven die zich in Chili hebben gevestigd bevinden zich Philips, Unilever, Shell, Akzo Nobel, DSM, Nutreco, Heineken, ING, Rabobank, Hunter Douglas, TPG, Arcadis en Vedior.

Milieu- en natuurbeleid in ontwikkeling

De snelle economische groei in Chili brengt een zware belasting van het milieu met zich mee. De huidige milieuwetgeving voor water en lucht is naar internationale normen redelijk actueel, echter voor bodem en afvalwater is deze nog lang niet goed genoeg. Uit een in het voorjaar 2005 uitgevoerd OESO-onderzoek naar het Chileense milieubeleid bleek dat Chili qua uitvoering en handhaving duidelijk achterloopt op de VS en Europa.

Chili als proeftuin

De sterke economische groei van Chili heeft de milieusector positief beïnvloed. Tegelijkertijd nemen de eisen op het gebied van voedselkwaliteit en -veiligheid in de markt toe. De groeiende exportsector van de Chileense economie is genoodzaakt te blijven investeren in het milieu om acceptabel te blijven voor afnemers in de VS en de EU. Tevens groeit de druk om duurzaam te produceren, wereldwijd en in Chili zelf.

Chili was het eerste Zuid-Amerikaanse land dat een vrijhandelsakkoord sloot met de twee grootste handelsblokken in de wereld; het is daardoor ook een beetje proeftuin voor andere Latijns-Amerikaanse landen. Vooral bij de energieopwekking en de waterzuivering, maar ook in andere sectoren van de economie, is grote behoefte aan schone technologie. De regering-Bachelet heeft de Nationale Commissie voor Milieu uitgebreid en versterkt tot een ministerie voor Milieu. De bevoegdheden op milieugebied die bij dertien ministeries en andere overheidsorganen berustten, zijn daardoor meer gecentraliseerd.

Schandaal rond gekweekte zalm

De opmars van de gekweekte zalm in Chili gaat gepaard met de nodige discussie, zeker nadat een aantal schandalen de sector forse schade heeft berokkend en de exportpositie van het land in het geding is. De kleurstoffen, antibiotica en chemische middelen die in het water- en het voedsel van de zalm worden bijgemengd, vormen een groot gevaar voor de volksgezondheid. Zo zijn er voor de mens hoge concentraties pcb's aangetroffen. De vervuiling van het water in de omgeving van de kwekerijen is een fors probleem. Daarnaast vormen de ontsnapte, vaak genetisch gemanipuleerde, soorten een groot gevaar voor de biodiversiteit onder de wilde zalm. Ze kunnen ziekten en parasieten overbrengen, en verdrijven de wilde zalm uit hun natuurlijke habitat. Verder zijn het ruimtebeslag van de kwekerijen, de aantasting van de oevers en omliggende natuurgebieden, alsmede de grote benodigde hoeveelheid visvoer ecologische knelpunten.

Samen met buitenlandse bedrijven en meegefinancierd door andere overheden, werkt de Chileense regering aan een programma om de viskwekerijen te verduurzamen. Zo heeft Nutreco International meegewerkt aan een onderzoek naar de effecten op de biodiversiteit en manieren om die effecten te meten.

'Vuile' sectoren

Vervuilingproblemen op het gebied van water in Chili doen zich met name voor in de houtpulpsector, de chemische sector, de visteelt, de vismeelindustrie en de mijnbouw. De zuivering van afvalwater kwam extra in de belangstelling te staan toen in 2005 bekend werd dat een grote cellulosefabriek vervuild water loosde in plaatselijk oppervlaktewater. De vervuiling was zo ernstig dat de autoriteiten de productie een tijdje hebben stilgelegd.

De Chileense overheid is inmiddels bezig met een inhaalslag op het gebied van zuivering van rioolwater. De plannen zijn ambitieus. In 2010 moet 95 procent van het afvalwater worden gezuiverd. Dat programma kost zo'n 4 miljard dollar.
Convenanten met de afzonderlijke bedrijfstakken moeten leiden tot duurzame productiemethoden. Daar waar bodem, lucht of water moeten worden gereinigd, geldt het principe van 'de vervuiler betaalt'. Ook is men druk bezig te investeren in de verwerking van diverse soorten afval, zoals medisch afval, pcb's en zuiveringsslib.

Nieuw is de actieve opstelling van de Chileense overheid op het gebied van de verhandelbare emissierechten, de zogenaamde *carboncredits*. Hierbij kunnen westerse bedrijven met een verplichting om hun CO_2-uitstoot te reduceren *credits* of *bonds* kopen bij ondernemingen in ontwikkelingslanden. Zo kunnen zij voldoen aan de totale afgesproken emissiereductie en brengen zij technologie en deskundigheid naar ontwikkelingslanden om ook daar de uitstoot de reduceren. De Rabobank is één van de pioniers op dit terrein en kocht in Chili een hoeveelheid bonds op termijn. Deze moeten nog geproduceerd en gecertificeerd worden. De Chileense markt laat hiermee zien volwassen genoeg te zijn voor innovatieve constructies. Begin 2008 was een tiental projecten uitgevoerd; er zitten er tientallen in de pijplijn.

Bewogen kunstenaars

De traditionele inheemse cultuur en de sterk door de Spaanse invloeden gevormde hoofdstroom van Chileense cultuur hebben altijd betrekkelijk gescheiden naast elkaar bestaan. Van een vermenging, zoals in
landen als Brazilië, Cuba en Mexico, was nauwelijks sprake. Pas in de
20ste eeuw, onder invloed van het modernisme en het zoeken naar de
eigen identiteit, begonnen kunstenaars hun gezamenlijke Amerikaanse
en Europese *roots* te verbinden. De opmars van een brede linkse volksbeweging inspireerde anderen weer tot volkscultuur, met de klassenstrijd als terugkerend motief. Met die kunst was het tijdens de militaire
dictatuur abrupt afgelopen. Bekende en minder bekende kunstenaars
werden het slachtoffer van de repressie, anderen vluchten naar het buitenland. Na de militaire dictatuur is de kunstwereld begonnen aan een
nieuw leven.

Cultuurinvloeden van buiten en binnen

Ruim 300 jaar koloniaal bewind drukte een onmiskenbaar Spaans stem-
pel op de cultuur in Chili. Spaans is de voertaal. De Spaanse literatuur,
muziek, schilderkunst waren eeuwenlang referentiekader voor de Chileense kunstenaars. Tachtig procent van de Chilenen is rooms-katholiek. Ook
al zijn kerk en staat gescheiden sinds de invoering van de grondwet van
1925, de kerk speelt nog altijd een grote rol bij opvoeding en onderwijs.
Hoe sterk de katholieke moraal in de Chileense samenleving is gewor-
teld blijkt uit de recente discussies over echtscheiding, abortus en het
gebruik van voorbehoedsmiddelen.

Net als in andere Latijns-Amerikaanse landen wint het protestantisme
veld. Lutheranen en methodisten waren er al, een gevolg van de omvangrijke immigrantenstroom uit Duitsland, Scandinavië en Engeland.
Maar de laatste jaren schieten de evangelische kerken uit de grond.
Een fors deel van de inheemse bevolking is bekeerd tot het christendom, ook al proberen ze hun eigen tradities in ere te houden. Dat valt
zeker in deze tijd niet mee.

Oude tradities

In het hart van Chili, het gebied direct ten noorden en westen van
Santiago en de Centrale Vallei, leven de Spaanse tradities voort; ze

kwamen mee met de conquistadores en zijn sindsdien verbonden met het landleven. Zo leeft de figuur van de *huaso*, de Chileense cowboy, voort bij feesten en rodeo's. In de verbeelding, in de literatuur en de volksliedjes, is de huaso de held van het ruige leven op het platteland. Hij kan paardrijden als geen ander en trekt onverschrokken voort door bergen en dalen. In werkelijkheid was het leven niet zo romantisch. Toen de haciënda's zich uitbreidden richting het zuiden en de vee-stapel groeide, zorgde de huaso voor de kudde. Maar zijn voorkomen en zijn verhalen over het leven in de vrije natuur gingen een eigen leven leiden. Vandaar dat de huaso een vast bestanddeel is van de platte-landscultuur in Chili. Met hun traditionele kostuum – de brede platte Cordoba-strohoed, korte poncho, en rijlaarzen met grote, zilveren spo-ren – geven ze de rodeo en de oogstfeesten kleur.

Hoe verder weg van de grote stad, hoe sterker de regionale en met name inheemse tradities. De inheemse volken houden nog verschillende eigen religieuze tradities in ere. Bij de Atacameños staat de cultuur nog steeds voor een belangrijk deel in het teken van de vruchtbaarheid van de grond en de regen. Regendansen zijn een vast onderdeel van hun folklore. Het sterkst hebben de Mapuches nog een eigen cultuur, deels verbon-den met de vruchtbaarheid van de gronden, maar ook met de diverse fasen in het leven en met de kosmos. Een hoogtepunt in het jaar voor de Mapuches is *nguillatún*, een landbouwceremonie met muziek, dans, zang en lekkere spijzen om de weergoden te danken en hun zegen te vragen voor de volgende oogst.
De Rapa Nui op Paaseiland zijn sterk verbonden met hun land en hun voorouders. De geweldige *moai* getuigen daarvan. Het zijn kunstwerken op zich, het handelsmerk van het eiland en de culturen in de Stille Oceaan.

Een aparte plaats neemt het authentieke hiërogliefenschrift *Rongorongo* in. Hoe het op Paaseiland belandde, is een mysterie, net als de beteke-nis ervan. Niemand wist overigens van het bestaan van dit unieke schrift. Bij toeval viel een plankje in handen van de bisschop op Tahiti, die be-zoek kreeg van de priester op Paaseiland. Als cadeau hadden de Rapa Nui het plankje meegegeven.

Ooit zouden de plankjes of tabletten met inscripties zijn gemaakt in opdracht van koning Matu'a. Zo wilde hij belangrijke gebeurtenissen van zijn volk vastleggen. Want ook al heeft nooit iemand de veertien gevonden tabletten met het schrift kunnen ontcijferen, wel is duidelijk dat het gaat om jaartallen en namen. De regels lopen niet door maar spiegelen ten opzichte van elkaar. Alsof je het tablet iedere keer omdraait, wanneer je aan het eind van een regel bent.

De zonnewende

Eind juni, als de zon haar hoogste punt bereikt op het noordelijk halfrond, vieren de inheemse bevolkingsgroepen in Chili hun rituele nieuwjaarsceremoniën met offers aan Moeder Aarde (Pachamama) en Vader Zon (Tata Inti). Bij de Mapuches heet het feest Wiñoi Tripantu; ze vieren de terugkeer van de zon. Het is een heel ritueel dat de dag ervoor begint nog voor de zon ondergaat. Mannen, vrouwen en kinderen uit de dorpen verzamelen zich op de centrale plek en waken, luisterend naar verhalen van de dorpsoudsten, tot de zon weer opkomt. Nog voor de dageraad nemen ze allemaal een ritueel bad in de rivier of het meer, zodat ze de 'nieuwe' zon gereinigd kunnen begroeten. 'Akui We Tripantu' (het nieuwe jaar is gekomen) en 'Winoi Tripantu' (de zon komt weer terug) zijn gevleugelde uitspraken waarmee de gelovige bevolking aangeeft dat er een nieuwe levenscyclus is begonnen. De hele dag door vieren ze dat vervolgens met muziek, zingen en dansen.

Schrijvers van wereldformaat

De lange literatuurtraditie in Chili heeft enkele auteurs van wereldformaat opgeleverd, onder wie de Nobelprijswinnaars Gabriela Mistral (1945) en Pablo Neruda (1971). Beide zijn exponenten van de generatie kunstenaars die in de loop van de 20ste eeuw de vruchten plukten van beter algemeen onderwijs. De militaire dictatuur bracht de literaire bloeiperiode abrupt tot een eind. Kritische schrijvers waren vogelvrij en konden niet meer werken in Chili. In de periode die volgde maakten José Donoso, Ariel Dorfman, Antonio Skármeta én Isabel Allende naam.

Velen zien het gedicht *La Araucana*, in de 16de eeuw geschreven door de Spanjaard Alonso de Ercilla, als het fundament voor de latere literaire successen. Het is een epos dat verhaalt over de strijd tussen de Spanjaarden en Araucanos, de vroegere benaming voor de Mapuches. Er zijn geen winnaars en geen verliezers, slechts heroïek. La Araucana schetst het beeld van dappere krijgers die uit vaderlandsliefde hun leven geven.

Gabriela Mistral

Opmerkelijk genoeg liet Gabriela Mistral (1889-1957), pseudoniem voor Lucila Godoy Alcayaga, als dichteres een heel beperkt oeuvre na. Er zijn maar vier dichtbundels van haar uitgegeven. Haar naam vestigde ze vooral door haar essays over liefde en dood, religie, natuur, en – wellicht het meest bekend – de vreugdevolle en onbeschermde jeugd. Voor dat laatste kon ze putten uit eigen ervaring. Ze groeide onder de hoede van haar oudere zus op in een gezin zonder vader. Lucila was leergierig en had een passie voor schrijven. Ze ging als onderwijzeres werken en schreef stukjes in de plaatselijke krant. Een tragisch en misschien wel bepalend moment was de zelfmoord van haar geliefde, een spoorwegarbeider uit de buurt.

Ze was 25 toen ze met de dichtbundel *Sonetos de la Muerte* haar eerste literaire prijs won. Dankzij reizen naar andere Latijns-Amerikaanse landen en naar Frankrijk en Italië rijpte het schrijverschap. Tegelijkertijd raakte ze betrokken bij maatschappelijke en culturele bewegingen. Die interesse en haar rijzende ster brachten haar de functie van Chileense consul in diverse landen.

Haar essays en gedichten spraken de snel uitdijende middenklasse aan. Door publicaties in verschillende Latijns-Amerikaanse kranten was ze ook buiten Chili bekend en gevierd. De internationale roem bracht haar uiteindelijke de Nobelprijs voor Literatuur in 1945. Zes jaar later kreeg ze in haar geboorteland de Nationale Literatuurprijs. Mistral overleed in 1957 in de Verenigde Staten, maar haar stoffelijke resten zijn teruggebracht naar Chili. Ze ligt begraven in Montegrande, nabij Vicuña.

Een boerse, smaakvolle keuken

Van een verfijnde keuken is geen sprake, maar daarom zijn Chileense gerechten niet minder smaakvol. Ze komen uit de keuken van boeren en vissers, hardwerkende mensen, die na een dag op het land of op zee een stevig pot nodig hadden.

Maïs, in Chili bekend als choclo, vormt de basis van veel gerechten. Pastel de choclo is een heerlijke ovenschotel met maïs, gehakt en olijven.

Aardappelen komen in vele bereidingsvormen voor. Papas rellenas lijken op aardappelkroketjes, gevuld met vlees of vis. Mayo de papas is een pureegerecht, aangemaakt met uitjes, pepers en stukjes varkensvlees. In het geval van chuchoca zijn de aardappels vermengd met meel en varkens-vet, en in een lange plak geroosterd. Mayocan lijkt op hutspot van aardap-pels, gedroogd krabvlees en zeewier.

De nationale snack is de empanada: vlees met ui en olijven in stevig deeg uit de oven. Soms zijn empanadas met kaas of schaaldieren gevuld.

Een typisch volksgerecht is curanto. Het stamt oorspronkelijk van het eiland Chiloé en wordt al meer dan duizend jaar op dezelfde manier bereid. Op vuur verwarmde stenen worden in een kuil in de grond gelegd, met daarop schaaldieren, vis, kip, worst en aardappels. Dit wordt afgedekt en gaart zo vanzelf.

Een typisch Chileense maaltijdsoep is de cazuela. Er zitten aardappelen, maïs, rijst en vaak rundvlees of kip in. De visversie van dit gerecht heet cal-dillo of cazuela marina. Zarzuela is een stamppot van vis en schaaldieren.

De Chilenen kennen een grote variëteit aan vis en schaaldieren: van gegril-de tonijn en ombervis tot gebakken paling en caldillo (dikke soep), maris-cales (kleine schaaldieren), jaivas rellenas (gevulde krab), chupe de lapas (stamppot) en erizos (zee-egels).

Fruit en zoetigheden zijn de favoriete desserts. Een volks nagerecht is mote con huesillos, gort met gedroogde perziken. Fruitsoorten zijn er in over-vloed, zoals de zoete chirimoya's, papaya's, lúcuma's, aardbeien, frambo-zen, kiwi's, en watermeloenen. Taarten en gebak worden veelvuldig afge-maakt met dulce de leche of manjar, een crèmige karamelsubstantie. Van de vruchten maken de Chilenen overheerlijke soorten ijs, zoals lúcuma (romig vruchtenijs) of suspiro limeño met citroen en merengueschuim.

Pablo Neruda

De grote meester van de Chileense literatuur is Pablo Neruda (1904-1973). Zijn magistrale gedichten en sociale bewogenheid maakten hem geliefd bij een groot deel van het Chileense volk en bij heel links Latijns-Amerika. Zijn duidelijke opstelling maakte hem echter gehaat bij de conservatieven en de militairen.

Net als Mistral was Neruda van eenvoudige afkomst. Zijn echte naam was Neftalí Reyes. Ook hij had een passie voor de literatuur en vooral gedichten. Op 13-jarige leeftijd stond zijn eerste gedicht *Entusiasmo y Perseverancia* in de lokale krant *La Mañana.* De doorbraak kwam op 20-jarige leeftijd met *Veinte Poemas de Amor y una Canción Desesperada* (Twintig liefdesgedichten en een wanhoopslied). Deze bundel is een ode aan de liefde, de passie en schoonheid van het vrouwenlichaam; en dat voor zo'n broekie. De reacties, wereldwijd, waren euforisch. In één klap was Neruda beroemd.
Het werk tijdens deze beginfase van zijn loopbaan was verwant aan het modernisme en het surrealisme. Neruda's sterke persoonlijke stijl gaven hem een plaats in de Spaanstalige literatuur en hij werd erkend door de beste critici en dichters van zijn tijd.

De Spaanse Burgeroorlog is een breuklijn in Neruda's leven en werk. Hij is op dat moment consul in Barcelona en raakt door zijn relatie met de Argentijnse schilderes Delia del Carril betrokken bij de politiek. Zijn literaire werk wordt sterk politiek getint, met name nadat hij zich heeft verbonden met de communistische beweging.
Bij terugkeer in Santiago laat hij zich overhalen om als senator voor de Communistische Partij in het Congres plaats te nemen. De politieke activiteiten brengen hem in conflict met de autoriteiten en hij moet het land uitvluchten. In die periode publiceert Neruda het meesterwerk *Canto General* (1951), een epos over de geschiedenis van Latijns-Amerika. Een ander mooi werk uit die tijd is *Odas Elementales.* Neruda wordt een inspiratiebron voor miljoenen in hun strijd tegen het onrecht en de ongelijkheid in de moderne samenleving.
Bij terugkeer in Chili gaat hij wonen in Santiago, waar hij een onstuimige en geheime liefdesrelatie heeft met de Chileense Matilde Urrutia.

Zijn huis La Chascona in de wijk Bellavista is nu ingericht als museum en één grote herinnering aan die tijd toen het leven van de schrijver eindelijk in rustiger vaarwater was gekomen. Nog één keer kan hij naar zijn geliefde Europa, als zijn vriend Salvador Allende hem benoemt tot ambassadeur in Frankrijk.

De Nobelprijs voor Literatuur in 1971 is een bekroning van zijn roemrijke schrijverschap. Neruda sterft in 1973, krap twee weken na de dood van zijn vriend Salvador Allende. *Confieso que he vivido* (Ik beken, ik heb geleefd), de titel van zijn memoires, die na zijn dood verschenen, illustreert hoe Pablo Neruda in het leven stond: betrokken en passievol.

De kunst verbannen

Tijdens de jaren zestig en zeventig liepen cultuur en politiek in elkaar over. Geëngageerde kunstenaars, schrijvers en intellectuelen zetten zich met overgave in voor een beter Chili.

In de gaarkeukens traden zangers en dichters op. Pablo Neruda las gedichten voor aan de mijnwerkers van Lota, Victor Jara speelde voor arbeiders en studenten; kunst stond in dienst van de 'Stille Revolutie' en de revolutie bracht de kunstenaars inspiratie.

Het waren de beginjaren van de Volksfrontregering van president Salvador Allende, toen er door heel Chili een explosie van volkskunst plaatsvond. Overal werden discussies gevoerd over de richting van de kunsten. Eigen traditie en folklore, de eigen wortels en identiteit, leidden tot het zoeken naar andere vormen en een nieuw repertoire.

De confrontatie met de nieuwe machthebbers tijdens de eerste dagen na de coup kon niet harder. Kunstenaars, schrijvers en intellectuelen kregen het zwaar te verduren. Tientallen werden opgepakt en vermoord. Sommigen pleegden zelfmoord. Veel meer konden wegkomen en gingen in ballingschap. En zoals dat gaat, baarde de dictatuur nieuwe kunst. José Donoso, Ariel Dorfman en Antonio Skármeta schreven hun beste werken in ballingschap. Isabel Allende, nichtje van de dode president, groeide uit tot de best verkopende Latijns-Amerikaanse schrijfster. Ze werd een van de exponenten van een nieuwe generatie schrijvers. waartoe ook Luis Sepúlveda, Roberto Bolaño, Juan Luis Martínez en Rodrigo Lara behoren.

Het huis van Neruda

*'Temidden van de verwoesting, in zijn met bijlslagen kort en klein
gehakte huis, ligt Neruda, dood door kanker, dood door verdriet. Zijn
dood was niet genoeg, omdat Neruda een man is van lange overleving,
en daarom hebben de militairen zijn dingen vermoord: zij hebben zijn
gelukkige bed en zijn gelukkige tafel versplinterd, zij hebben zijn matras
opengesneden en zijn boeken verbrand, zij hebben zijn lampen en ge-
kleurde flessen, zijn aarden kruiken, zijn schilderijen, zijn schelpen
kapot gegooid. Van de staande klok hebben zij de wijzers en de slinger
afgerukt en in het geschilderde portret van zijn vrouw hebben zij met
een bajonet een oog doorgestoken...'*
*'Vanuit zijn verwoeste huis gaat de dichter naar de begraafplaats, bege-
leid door een kleine stoet intieme vrienden. Met ieder huizenblok groeit
de stoet. Uit alle hoeken sluiten mensen zich aan, die mee gaan lopen
ondanks de militaire vrachtwagens waaruit geweren omhoog steken en
ondanks de karabiniers en soldaten die op motorfietsen en in pantser-
wagens heen en weer rijden, die lawaai maken en bang maken. Vandaag
is het twaalf dagen geleden dat de staatsgreep plaatsvond, twaalf dagen
van zwijgen en sterven ... tot de stoet een optocht wordt en de optocht
een manifestatie en het volk, dat optrekt tegen de angst, uit volle borst,
luidkeels in de straten van Santiago begint te zingen om Neruda, de
dichter, hun dichter, op zijn laatste reis te begeleiden zoals het hoort.'*
Uit: De eeuw van de wind, Kroniek van het Vuur – Vijf eeuwen verbeelding van Latijns Amerika. *Eduardo Galeano, Amsterdam 1988.*

Isabel Allende

Als diplomatendochter groeide ze op in het buitenland. Ze keerde wel
naar Chili terug om haar school af te maken, kwam in de journalistiek
terecht en raakte betrokken bij de maatschappelijke thema's. Na de
militaire coup moest ze Chili verlaten. In Venezuela schrijft ze *Het Huis
met de Geesten*, een familiekroniek die speelt in de tijd van grote maatschappelijke veranderingen. Het decor is de haciënda van haar voorouders, het thema de onmogelijke liefde en de klassenstrijd. De hoofdper-

sonen zijn sterke vrouwen, een lijn die ze in haar latere werk doortrekt. Met het boek, dat ook succesvol wordt verfilmd, is haar naam in één klap gevestigd. Ze wordt vergeleken met grote verhalenvertellers als Gabriel García Márquez en Mario Vargas Llosa.

Liefde en Schaduw, haar tweede boek, is een aanklacht tegen de wandaden van het militaire regime in Chili. De twee hoofdpersonen, een journaliste en een fotograaf, gaan op zoek naar de waarheid achter de ontvoeringen. Na de boeken *Eva Luna* en *Het Goud van Tomás Vargas*, wordt het werk persoonlijker. Vooral *Paula* is een beklemmend autobiografisch werk over Isabel's relatie met haar dochter, die aan een slepende ziekte lijdt en uiteindelijk sterft.
Portret in Sepia en *Fortuna's dochter* gaan over haar jeugd en eerdere levensjaren in Chili. De idealisering van het verleden is het thema. Met *Zorro* en *Inés, vrouw van mijn hart*, duikt ze in het leven van legendarische figuren in de Latijns-Amerikaanse cultuur.

Moderne schrijvers

De afgelopen jaren hebben nieuwe schrijvers zich nadrukkelijke gemanifesteerd. Alberto Fuguet, Gonzalo Contreras en Marcela Serrano hebben hun naam inmiddels gevestigd. Fuguet schrijft een regelrechte bestseller met *Mala Onda*, een werk dat wordt geplaatst in de literaire traditie van Salingers *The Catcher in de Rye*. Het is het verhaal van een jongen, Matías Vicuña, die zich afzet tegen de kleinburgerlijke moraal waarin hij opgroeit. Op de achtergrond speelt het groeiende verzet tegen de dictatuur van Pinochet. Fuguet wordt internationaal gezien als de voorloper van een nieuwe Latijns-Amerikaanse literaire traditie. Marcela Serrano schrijft boeken die feministisch zijn getint. *Nosotras que nos queremos tanto* gaat over vier vrouwen die de schrijfster persoonlijk heeft gekend in verschillende periodes van haar leven.

Uitgeverij Planeta brengt in de loop van de jaren negentig boeken uit van een groep schrijvers die de Nueva Narrativa steeds meer gestalte geven. Onder hen Jaime Collyer, een bekende verhalenschrijver en Sergio Gómez, die in 2002 de prestigieuze Lengua de Trapo Prijs wint.

Gómez schrijft samen met Alberto Fuguet in 1996 de bloemlezing van Latijns-Amerikaanse verhalen *McOndo*. Alejandra Costamagna, fictie- schrijfster en journaliste, en Rafael Gumucio, die ook columns schrijft voor de media, zijn succesvolle schrijvers van deze tijd.

Overzichtelijk medialandschap

El Mercurio is de belangrijkste landelijke krant; rechts en conservatief. Het dagblad maakt deel uit van het imperium van mediafamilie Edwards uit Santiago. In de tijd van de regering Allende speelde de krant een dubieuze rol, door duidelijk partij te kiezen voor de oppositie. De militaire coup werd zelfs verwelkomd als de redding voor de natie. El Mercurio is een instituut. De krant verscheen in 1827 voor het eerst in Valparaíso en is daarmee het oudste dagblad in de Spaanstalige wereld. De tweede landelijke krant is La Tercera, minder politiek uitgesproken, wel wat meer gericht op sensatie. La Nación is qua bereik ook een nationale krant, wat populairder en op binnenlands nieuws gericht. Daarnaast is er een hele serie tabloids, die vooral sensationeel nieuws bieden over sterren, sport, ongelukken en schandalen. La Segunda en Las Últimas Noticias, eveneens onderdeel van het Edwards-imperium, zijn de grootste. Voor kritische beschouwingen over de Chileense politiek, de economie en de cultuur zijn er twee weekbladen: The Clinic *en* Siete Mas 7.
Televisie heeft het grootste bereik en Televisión Nacional, de voornaamste publieke zender, maakt kwalitatief de beste programma's. De andere zenders zoals Universidad Católica, Megavisión en Red Televisión hebben een specifieke programmering. Zo brengt Megavisión veel soaps en Red nagesynchroniseerde Amerikaanse films. Universidad Católica staat bekend om de goede BBC-documentaires. Via de kabel kunnen de Chileense huishoudens tegenwoordig kiezen uit tachtig televisiezenders.

Muziek, oude en nieuwe klassieken

Drager van de klassieke muziek in de 20ste eeuw is Claudio Arrau, algemeen beschouwd als een van de beste pianisten van zijn tijd. Hij

bezat een schaars talent, dat al op jonge leeftijd werd herkend. Op vijf-
jarige leeftijd speelde Arrau in zijn geboorteplaats Chillán stukken van
grote componisten als Mozart, Beethoven en Chopin. Op de leeftijd dat
andere kinderen de basisschool volgde, studeerde kleine Claudio in
Duitsland. En om het succesverhaal van deze 'Chileense Mozart' compleet te maken; op zijn 17de won hij de Liszt Prijs, een erkenning van
zijn vakmanschap.

Er zijn er niet zoveel die in de voetsporen van Aurro kunnen treden, maar
Robert Bravo maakt een goede kans. Hij was leerling van de grote meester, maar zoekt zijn inspiratie anders dan Arrau niet uitsluitend in de
klassieken. Bravo neemt bijvoorbeeld regelmatig traditionele volksmu-
ziek als uitgangspunt voor zijn werken. In die zin is hij duidelijk een
kind van zijn tijd, want sinds de jaren zestig krijgt de authentieke Chileense volkscultuur duidelijk meer aandacht in het werk van vele Chileense kunstenaars.

Volkspoëzie en sociaal protest

In de muziek is Violeta Parra zo'n vernieuwster. Met haar populaire teksten, vaak ontleend aan liedjes waar de mensen op het platteland of in
de volkswijken van de stad mee opgroeien, is ze de grondlegger van *La
Nueva Canción Chilena*. Dat is muzikale volkspoëzie met oude en nieuwe ritmes, terwijl de teksten naast een klassiek thema als de liefde ook
de sociale realiteit behandelen. Violeta leefde tussen het volk. Ze trok
op met boeren, mijnwerkers, vissers en indianen. Haar politieke engage-
ment beleefde een hoogtepunt tijdens de revolutionaire dagen van de
periode Allende. Haar zelfmoord in 1967 verraste velen. Violeta Parra
heeft prachtige nummers nagelaten, waarvan *Gracias a la Vida* wereldberoemd is geworden, in haar eigen vertolking, maar ook in die van de
Argentijnse icoon Mercedes Soza. Poëtische liedjes als *Que dira el Santo
Padre* en *Casamiento de Negros* getuigen van een diepe betrokkenheid
bij het leven van de gewone mensen.

Een andere grote zanger van La Nueva Canción Chilena was Victor Jara
(1932-1973). Zijn liedjes gaan over het leven van de boeren en de arbeiders, en over de sociale strijd. Jara was lid van de Chileense Communistische Partij en de populairste zanger van zijn tijd.

In Valparaíso zijn de tegen de helling opgebouwde huizen een toeristische attractie. Met de modernisering van de haven en de vestiging van het Congres kreeg de tweede stad van het land nieuwe impulsen.

Cervecería Kunstmann in Valdivia brouwt al bijna een eeuw op ambachtelijke wijze bier. Tijdens het Oktoberfest is deze uitspanning het hart van het Bierfest en de traditionele Beierse muziek. Valdivia ligt midden in het 'Duitse' gebied in Chili. Hier streken kolonisten uit Hessen, Würtemberg, Bohemen, Saksen en Brandenburg neer en stonden aan de basis van de economische ontwikkeling.

Hij was een van de eersten die bij de razzia's in opdracht van het nieuwe militaire regime werd opgepakt. Zelfs in gevangenschap in het Nationaal Stadion bleef hij zingen en spelen, waarop de beulen zijn handen braken. Op 16 september werd zijn met kogels doorzeefde lijk gevonden.

Het nieuwe Chileense lied is verder gebracht door onder meer de kinderen van Violeta Parra, de gitarist/zanger Angel en de zangeres Isabel, en groepen als Illapu, Quilapayún en Inti Illimani. Zoals de namen al doen vermoeden, grijpen met name de laatsten in hun repertoire terug op de traditionele inheemse muziek. De jaren van de militaire dictatuur brachten ze gedwongen in het buitenland door, wat hun internationale reputatie zeker ten goede is gekomen. Ze hebben veel opgetreden in Europese landen, waaronder in België en Nederland.

Tijdens de dictatuur werd de draad opgepikt door musici en zangers als Eduardo Peralta, Cecilia Echeñique en het ensemble Sol y Lluvia. Ze traden op in Café del Cerro, dat in die periode een ontmoetingsplaats was voor kunstenaars en intellectuelen die in Chili bleven. De groep gebruikte de term *Nuevo Canto*. Ze borduurde voort op de muzikale lijn van de Nuevo Canción Chilena en mengde persoonlijk getinte liedjes voorzichtig met een kritische kijk op de misstanden tijdens de dictatuur.

Populair, rock en hip hop

Minder politiek betrokken, maar mateloos populair onder jonge Chilenen in de jaren zestig en zeventig waren groepen als Los Angeles Negros, Pat Henry y los Diablos Azules, Buddy Richard en Gloria Benavides. Ze maakten deel uit van *La Nueva Ola* (de nieuwe golf); lekkere dansmuziek, soms romantisch en altijd swingend. Rond deze beweging ontstonden radioprogramma's en kwamen eigen platenlabels op. Wat later in de jaren zeventig maakten Fernando Ubiergo en Alberto Plaza furore op het toonaangevende jaarlijkse muziekfestival in Viña del Mar. Plaza's *Que Cante la Vida* werd een klassieker.

In de jaren tachtig kwam de rockcultuur sterk opzetten onder jongere Chilenen. Electrodomésticos, de band van Carlos Cabezas, maakte twee zeer succesvolle albums *Viva Chile* (1986) en *Carrera de Exitos* (1987).

Voetbal, rodeo en tennis

Net als in de meeste Latijns-Amerikaanse landen is voetbal de volkssport. Met uitzondering van deelname aan een paar wereldkampioenschappen zijn er echter geen grootse prestaties geleverd. Ook op clubniveau kunnen de Chilenen zich niet meten met clubs uit Argentinië, Brazilië, Uruguay, Colombia en Mexico. Maar de onderlinge rivaliteit is er niet minder om. Als Universidad de Chile *tegen* Universidad Católica *of* Colo Colo *speelt, allemaal clubs uit de hoofdstad Santiago, dan is dat meer dan een gewone wedstrijd. Club Deportivo Universidad Católica is immens populair onder het gewone volk, ook al staat het stadion in een van de rijke wijken van Santiago. De club is officieel opgericht in 1937, maar in 1910 speelde het eerste team van de gelijknamige universiteit al tegen de rivalen van Universidad de Chile,*
Colo Colo is de meest succesvolle club met 24 landstitels. Het is de enige Chileense club die ooit de Copa Libertadores, het Zuid-Amerikaanse kampioenschap, wist te winnen. Dat was in 1991.
Paardenrennen zijn bijna net zo populair, maar vooral om op te gokken. Er gaat een hoop geld in om. Pedro de Valdivia nam de eerste paarden

Cabezas bleef een toonaangevend muzikant tot in de 21ste eeuw. Een band als Los Prisioneros (De Gevangenen) paste helemaal in de nadagen van de militaire dictatuur. De jongens kwamen uit de volksbuurten van Santiago en zongen over de straatcultuur. Nummers als *La Voz de los Ochenta* en *La Cultura de la Basura* waren grote hits. Ook Los Prisioneros kwamen, na een aantal jaren afwezigheid, weer helemaal terug.

De democratisering in de jaren negentig gaf een enorme impuls aan de muziekcultuur. Bij sommige bands, zoals La Ley en Los Tres, kwamen traditionele muziek en nieuwe stijlen samen. Anderen gingen met volle overgave voor soul, funk, punk, hip hop of R&B. Namen om te onthouden zijn Chanco (funk), Los Tetas (soul) en De Kiruza (hip hop).

mee naar deze contreien. Ze waren afkomstig uit Spanje en waren krui-
singen van Andalusische en Numische paarden. In vier eeuwen tijd
heeft dat paardenras zich ontwikkeld tot de typische Chileense vol-
bloeds, die in het circuit zo gewild zijn vanwege hun wendbaarheid,
snelheid, uithoudingsvermogen en gehoorzaamheid. Sinds 1893 is het
fokschema officieel geregistreerd, Chili was het eerst land in Zuid-
Amerika waar dat gebeurde. Rond Santiago, Colchagua en Aconcagua
zijn de oudste en bekendste paardenfokkerijen gevestigd.
De rodeo hoort bij het leven op het land en bouwt voort op de huaso-
traditie, ontstaan rond de stoere cowboy die in de koloniale tijd bij de
haciendas voor het vee zorgde. In het centrale en zuidelijke deel van
het land vinden er tijdens het voorjaar en najaar volop rodeo's plaats,
hetzij als regionaal festival, hetzij als nationale competitie.
Sinds de internationale doorbraak van een aantal grote Chileense ten-
nissers als Marcelo Rios, Fernando González en Nicolás Massú is het
tennis als sport in Chili enorm aan het groeien.

Film getekend door politiek

In een land als Chili met een grootse literaire traditie en een belang-
wekkende muziekcultuur, kan het niet anders dan dat ook de beeldcul-
tuur sterk is ontwikkeld. De militaire dictatuur vormt, net als bij de
andere kunstuitingen, een breuklijn.

Voor de filmgeschiedenis moeten we terug naar het begin van de vorige
eeuw, de tijd van de stomme film. Er was totaal geen filmbeleid van de
kant van de overheid en de filmindustrie hing op het privé-initiatief van
creatievelingen en doorzetters als Pedro Sienna. Zo maakte hij met eigen
geld en met veel vrijwilligers *El Husar de la Muerte* (1926), over de
heldendaden van Manuel Rodriguez tijdens de Onafhankelijkheidsoorlog. Het is de oudste bewaard gebleven stomme film in Chili. El Husar
de la Muerte is recent volledig gerestaureerd en voor het eerst in mei

2007 in de Lage Landen vertoond op het Latin American Film Festival in Utrecht.

Theorie en politiek

Pas in de loop van de 20ste eeuw ontstond in Chili iets van een filmindustrie, mede dankzij de oprichting van Chile Films, een overheidsorganisatie die de Chileense filmcultuur moest bevorderen. De bloeitijd was kort, ondanks de uitstekende faciliteiten die werden geboden. Zo had Chile Films in die tijd de beschikking over zo'n beetje de modernste filmstudio's in Zuid-Amerika.

Een nieuwe opleving valt samen met de politiek interessante periode van de jaren zestig en zeventig, tot de coup. De oprichting van speciale filmafdelingen aan de Universidad de Chile en de Universidad Católica de Chile (Katholieke Universiteit), allebei in Santiago, vormen het theoretische fundament voor een nieuwe manier van filmen. Zowel de stijl van filmen is onconventioneel, als de onderwerpen. Een hele serie geëngageerde regisseurs en producenten voorziet de bioscopen van mooie poëtische films met een stevige maatschappijkritische ondertoon. *Ayúdeme Usted Compadre* (1968) van Germán Becker is een kaskraker, net als *Lunes Primero, Domingo Siete* van Helvio Soto. Deze regisseur komt een jaar later met een nog groter succes: *Caliche Sangriento*. Deze film geeft de Chilenen een andere kijk op de Pacifische Oorlog met de Peruaans-Boliviaanse Confederatie.

Grote namen uit die tijd zijn Patricio Gúzman, Miguel Littin en Raúl Ruiz. In 1968 ging Ruiz' *Tres Tristes Tigres* in première (naar de gelijknamige roman van de Cubaan Guillermo Cabrera Infante), tegenwoordig algemeen beschouwd als een van de beste Chileense films ooit. Vijf jaar later rond hij *Palomita Blanca* af, een ander meesterwerk, dat door de coup pas in 1993 voor het eerst in eigen land kan worden vertoond. Miguel Littín zit met zijn films sterk aan tegen de ideologie van het Volksfront. *El Chacal de Nahueltoro* (1970) is een klassieker geworden, de documentaire *Compañero Presidente* (1971) en *La Tierra Prometida* (1972) zijn politieke pamfletten.

Begin jaren zeventig presenteert Patricio Gúzman zich als documenta-
list met de film *El Primer Año*. Hij begint dan al aan het verzamelen
van materiaal voor *La Batalla de Chile*, die pas kan worden uitgebracht
als de dictatuur achter de rug is. Het is een uitgebreid beelddocument
in drie delen over de opkomst, regeerperiode en neergang van Salvador
Allende en het Volksfront.

Cueca, de nationale dans

De cueca *is van oorsprong een boerendans en ontstond volgen sommigen uit opstand tegen de Spaanse Kroon. De man en de vrouw dansen
terwijl ze met doeken zwaaien, op het geluid van het gezang en instru-
menten zoals gitaar, harp en accordeon. De dans stelt de hofmakerij
van een paartje voor of een* huaso *die in een kraal een merrie met een
lasso probeert te vangen.* Huaso *is de benaming voor de boeren in de
centrale regio.*
*Het belangrijkste feest in het Grote Noorden wordt gevierd in het
dorpje La Tirana. Elk jaar tussen 12 en 18 juli komen hier zo'n 40.000
mensen om de Virgen del Carmen, de patroonheilige van Chili, te eren
met zang en dans. Verwant aan de cueca zijn de traditionele dansen
van de inheemse bevolking in Noord-Chili. Zo wordt de* trote *gedanst
ter gelegenheid van een religieus feest. De* chabimbo *is meer een ver-
leidingsdans, waarbij de vrouw op een uitdagende wijze afstand houdt.*

Filmen in ballingschap

Vrijwel alle grote regisseurs uit de tijd van Allende gingen tijdens de
militaire dictatuur in ballingschap. Daar werkten ze met wisselend succes aan hun oeuvre. Ruíz was zeer actief in Frankrijk met films over
uiteenlopende onderwerpen. Helvio Soto filmde *Llueve sobre Santiago*
(Het regent boven Santiago), een aangrijpende interpretatie van de
coup, met muziek van Astor Piazolla en grote rollen van Jean-Louis
Trintignant en Annie Girardot.
Miguel Littín maakte naam met onder meer *El Recurso del Método*
(1978), naar een boek van de Cubaanse auteur Alejo Carpentier; en

La Viuda de Montiel (1980) naar het gelijknamige verhaal van Gabriel García Márquez. Littín gaat later terug naar Chili om daar clandestien verder te werken. Márquez wijdt daar op zijn beurt een boek aan: *La Aventura de Miguel Littín, Clandestino en Chile.*

Sinds de democratisering hebben gearriveerde regisseurs als Littín en Ruiz in hun geboorteland de kroon op hun carrière gezet. Littín vertelt in *Los Náufragos* (1994) het verhaal van de balling die na twintig jaar totaal vervreemd terugkeert naar Chili. In de film lopen werkelijkheid en verbeelding voortdurend door elkaar heen. *Tierra del Fuego* (1999) is een ode aan het werk van de Chileense schrijver Francisco Coloane, die op een meesterlijke manier het ruige leven en de keiharde strijd om het bestaan op Vuurland heeft beschreven. De beelden zijn fenomenaal.

El Nuevo Cine Chileno

Inmiddels is een jonge generatie opgestaan, die de thematiek van revolutie en dictatuur achter zich wil laten en zich werpt op eigentijdse thema's. Zo is *En la Cama* (In bed) uit 2005 van Matías Bize bijna een theaterverfilming van een dialoog tussen een man en een vrouw, die elkaar op een feestje leren kennen, in bed belanden en elkaar al vrijend en pratend beter leren kennen. *Mi mejor enemigo* (Mijn beste vijand) van Alex Bowen Carrranza, ook uit 2005, gaat over de absurditeit van oorlog en geweld. De film speelt in Vuurland, waar Chileense en Argentijnse militairen zijn gelegerd om te verhinderen dat het buurland grond inpikt. De vijanden worden vrienden, en de beelden zijn ook hier weer fantastisch. Maar dat kan met zo'n decor bijna niet missen!

Andrés Wood is een rijzende ster aan het firmament. Zijn eerste films *Historias de Futból* (1997) en *La Fiebre del Loco* (2001) bereiken meteen een groot publiek. Zijn film *Machuca* (2004) maakte zoveel indruk dat er nu al over wordt gesproken over een klassieker. Wood, die film studeerde in New York, gaat met deze film toch weer terug naar de gebeurtenissen in het jaar 1973. *Machuca* vertelt het verhaal van de vriendschap tussen twee jongens uit totaal verschillende milieus, met op de achtergrond de onrust en chaos in de jaren voor en na de coup.

Uitdagingen voor snelle groeier

Chili verandert. Westerse invloeden brengen traditionele zekerheden aan het wankelen. Echtscheiding en abortus, het gebruik van de pil en condooms, in het algemeen de emancipatie van de vrouw, de erkenning van homoseksualiteit: maatschappelijke onderwerpen die niet meer taboe zijn in het zwaar katholieke land.

Met de economische modernisering komt bovendien het besef dat de groei van de welvaart grote ecologische risico's in zich draagt. De Chilenen ervaren dat mondiale vraagstukken over de toekomstige energievoorziening en over klimaatverandering een weerslag op hun bestaan hebben. Mede dankzij de inbreng van het maatschappelijk middenveld zijn de gevolgen van verdere ontbossing op de biodiversiteit, het klimaat en de bestaansbasis onder de aandacht van de politiek gebracht. Hetzelfde geldt voor de milieuproblemen, waarvan de luchtvervuiling in de grote steden en de vervuiling van het oppervlakte- en grondwater door de mijnbouw, de industrie en de huishoudens de zwaarste wissel trekt op de toekomst van het land.
Met de oprichting van nieuwe instituties en aanscherping van de wetgeving speelt de Chileense overheid daar betrekkelijk snel op in. Natuurbeheer en milieubeleid staan nu nadrukkelijk op de politieke agenda.

Qua economische en sociale ontwikkeling bevindt Chili zich in de groep van snelle groeiers in de wereld. In economisch opzicht haakt het aan bij de rijke industrielanden, maar op sociaal gebied blijft het nog achter. Chili is kwetsbaar, met z'n open economie en de grote afhankelijkheid van de export. Maar dankzij een consequent en strak begrotingsbeleid zijn de overheidsfinanciën op orde, is de inflatie structureel onder controle en wordt er ingezet op verbreding en verduurzaming van de economie. Dat is bijvoorbeeld zichtbaar in het beleid om wat betreft energie minder afhankelijk te worden van het buitenland.
Met veel aandacht voor innovatie en het stimuleren van het midden- en kleinbedrijf probeert de Chileense regering de economische basis te versterken. Verder is het voor de overheid zaak de financiële basis verder te verbeteren door het belastingsysteem efficiënter te maken en meer mensen in het pensioenstelsel op te nemen, zodat hun inkomen in de toekomst is gegarandeerd.

Een grote opgave ligt op sociale vlak. Alhoewel er veel meer dan in het verleden oog is voor de sociale tegenstellingen blijft een fors deel van de Chilenen achter in hun ontwikkeling. Het aantal mensen met niet meer dan een informeel baantje is hoog. Dat daaronder veel jongeren zijn is alarmerend. Vooral jongeren in de sociaal-economisch zwakke milieus, zowel in de stad als op het platteland, maken hun school niet af en komen zonder diploma's op de arbeidsmarkt. Daar ligt een grote uitdaging. Scholing en onderwijs zijn voor de komende jaren dan ook belangrijke aandachtvelden in de politiek.

De participatie van vrouwen in het arbeidsproces ligt fors lager dan in westerse landen. Het is een uitdaging om de economie en de samenleving ook via deze weg toekomstbestendiger te maken. Met meer vrouwen aan het werk neemt het inkomen toe en is de weerbaarheid groter.

De wijze waarop de Chilenen om zijn gegaan met hun recente verleden, dwingt respect af. Van rechteloosheid is geen sprake meer; veel mensen die direct verantwoordelijk waren voor de moorden en verdwijningen tijdens de vuile oorlog zitten achter de tralies. Ongetwijfeld volgen er nog meer, want de beweging voor de mensenrechten in Chili is sterk. De woede en het verdriet zitten diep bij de mensen die hun geliefden zijn kwijtgeraakt of die zelf het slachtoffers zijn geweest van de militaire dictatuur. Van verzoening tussen links en rechts is geen sprake en de vraag is of het ooit zo ver zal komen. Toch kiest de meerderheid van de Chilenen de koers die de brede regeringscoalitie *Concertación* volgt: accepteren dat er verschillend wordt gedacht over wát er is gebeurd, en samen proberen een samenleving te bouwen waar zoiets nooit meer kán gebeuren.

Praktische informatie

Reisinformatie

Chili is een vakantieland voor natuurliefhebbers. Er is geen land in Midden- en Zuid-Amerika waar je zoveel mogelijkheden hebt om te genieten van (extreme) natuur. De infrastructuur is goed ontwikkeld en over het algemeen is Chili een heel veilig land om te reizen.

Wat te zien en te doen?

Grilliger dan de natuur in dit land kan het bijna niet. Als je daar optimaal van wilt genieten heb je meerdere weken nodig; drie, maar vier is nog beter. Eerst naar het droge, ruige noorden, waar een fors deel van het land in beslag wordt genomen door de Atacamawoestijn. Het interessante plaatsje San Pedro de Atacama, centrum van de Aymara-cultuur in het noorden, is een goede uitvalsbasis voor een bezoek aan de Maanvallei en de geisers van El Tatio. De immense kopermijn Chuquicamata geeft een beeld van de grote rijkdom die de ondergrond bevat. De pikzwarte nachtelijke hemel boven de woestijn is optimaal voor het bestuderen van het heelal. Op de Cerro Tololo en de Cerro Paranal staan de grootste telescopen ter wereld.

Sporen van leven in het verre verleden zijn er te vinden in de vorm van oude ruïnes en grafheuvels, die de Inca's hebben achtergelaten, 8.000 jaar oude mummies en dinosaurussporen.

Vrijwel tegen de grens met Bolivia aan, op 4.000 meter hoogte, ligt het Nationaal Park Lauca. Daar tekent zich een spectaculair landschap af: besneeuwde vulkanen, scherp afstekend in de felblauwe hemel, en weerspiegeld in donkere meren.

In het centrale deel van Chili bevinden zich de grote steden Santiago en Valparaíso, belangrijk voor het politieke en culturele leven. Met name Santiago leent zich voor een paar dagen cultuur snuiven in de talrijke musea en lekker slenteren door het oude koloniale centrum. Valparaíso, gebouwd tegen de heuvels, is een kleurrijke, bedrijvige havenstad. Vlakbij ligt Viña del Mar, de mondaine badplaats.

Ten zuiden van Santiago strekt de Centrale Vallei zich uit, het belangrijkste landbouwgebied en hoofdtoneel van historische gebeurtenissen. Afzakkend via de RN5, de hoofdweg die als een navelstreng van noord naar zuid door Chili loopt, kom je langs plaatsen waar veldslagen

tussen de Spanjaarden en de taaie Mapuches zijn uitgevochten, waar de onafhankelijkheidsstrijd heeft gewoed en later de burgeroorlog. Fruitboomgaarden, akkers vol groenten en graan strekken zich uit tot aan de flanken van de altijd aanwezige Andes.
Haaks op de Centrale Vallei liggen de wijnvalleien, waar wijnroutes zijn uitgezet langs befaamde wijnhuizen.

Temuco, op een kleine 700 km van de hoofdstad en ongeveer halverwege de route naar Puerto Montt, is de toegangspoort tot Araucanía. In dit deel van Chili is de Mapuche-cultuur nog het meest zichtbaar. Wandelaars en natuurliefhebbers kunnen hun hart ophalen in de vele nationale parken die dit gebied rijk is. Dan volgt het Merengebied (Región de Los Lagos), aan de voet van de Andes, met eeuwenoude bossen, vulkanen, meren, thermale baden en rivieren. Sinds het einde van de 19de eeuw, nadat de vrede met de Mapuche was getekend, hebben Europese kolonisten hier een nieuw bestaan opgebouwd. De Duitse en Zwitserse cultuurinvloeden zijn opvallend in plaatsjes als Puerto Octay, Frutillar en Puerto Varas. In de bergen en rond de meren zijn uitgebreide voorzieningen voor actief toerisme. Zo kun je op de flanken van de vulkaan Osorno een groot deel van het jaar skiën. Aan de kust ligt Valdivia, de meest Duitse stad van het land, een prima plek om de reis even te onderbreken voor een stuk Apfelkuchen of een bord Sauerkraut met plaatselijk gebrouwen bier.

Een bezoek aan Puerto Montt, de snel groeiende havenstad in het zuiden, is voor de meeste reizigers een verplichte stop op de route van en naar Patagonië. Hier breekt de kust van Chili open in honderden eilanden, zeearmen en fjorden. Het vervoer gaat merendeels over het water in grote veerboten of cruiseschepen. Maar sinds in de jaren negentig van de vorige eeuw de Zuidelijke Hoofdweg (Carretera Austral) is aangelegd, zijn de uitgestrekte bosgebieden op de grens met Argentinië ook beter bereikbaar.
Voor actief toerisme is de omgeving van de Futaleufú een geweldig gebied. De rivier is de beste plek voor wildwatersport, in de omgeving kun je wandelen, klimmen, en paardrijden.

Net buiten Chillan ligt dit luxe golfresort, waar de thermen heet water betrekken uit de hoger gelegen vulkanische bron.

In het zuidelijkste deel van Patagonië is het Nationale Park Torres del Paine, met de immense ijsvlaktes en het bizarre rotslandschap, de grote trekpleister.
In de uiterste zuidelijk van Chili ligt Punta Arenas, de belangrijkste uitvalsbasis voor excursies naar Vuurland, onder meer naar de Argentijnse stad Ushuaia, en expedities naar het Zuidpoolgebied.

Liefhebbers van exotische plekken en mystiek kunnen nog naar Paaseiland (ofwel Rapa Nui), ver uit de kust, midden in de Stille Oceaan. Dit eiland is wereldberoemd vanwege de *moais*, tot 23 meter hoge en 60 ton zware stenen reuzen in het landschap. Het is een levendig natuur- en cultuurmonument met z'n groene heuvels en uitgedoofde vulkanen.

De Juan Fernández-archipel is beroemd geworden dankzij de Defoe's Robinson Crusoë. In 1977 werd de dunbevolkte archipel door Unesco uitgeroepen tot Biosfeerreservaat vanwege het unieke ecosysteem en de dier- en plantensoorten die nergens anders in de wereld voorkomen. Voor de toerist is alleen het Robinson Crusoë-eiland toegankelijk.

Infrastructuur en accommodatie

Alle uithoeken van Chili zijn goed te bereiken, zowel over de weg, door de lucht en in het geval van Patagonië en Vuurland met de boot.
Vanuit Santiago kun je dagelijks naar een groot aantal bestemmingen in Chili vliegen. Bussen zijn een populair middel van vervoer. De bussen zijn comfortabel, betrouwbaar en een kaartje is relatief goedkoop.
Vanuit Puerto Montt, Chacabuco en Puerto Natales varen cruiseschepen door de fjorden en langs de eilanden naar de gletsjers van de Noordelijke IJsvlakte.

De beste manier om veel van het land te zien is door zelf te rijden, met de auto of de fiets. De wegen zijn prima onderhouden, buiten de grote steden opvallend rustig en van Arica tot aan Puerto Montt kun je eenvoudig overal komen. Slechts op enkele plaatsen zijn fietspaden naast de hoofdweg aangelegd, maar meestal moet je met de fiets gewoon op de autoweg rijden.

Hotels en hostels zijn er in alle prijsklassen, van backpackershotels en jeugdherbergen tot vijfsterrenresorts. Kamperen kan en mag op een groot aantal plekken, alleen zijn niet overal even goede voorzieningen. In de natuurparken zijn er speciale kampeerplaatsen, meestal met basale voorzieningen.

Reisdocumenten

Nederlanders en Belgen hebben alleen een paspoort nodig dat nog zes maanden geldig is bij binnenkomst in Chili.

Beste reistijd

Het hele jaar door is geschikt om naar Noord-Chili te reizen, alhoewel de temperatuur in de herfst of de lente het aangenaamst is. Voor het zuiden moet je wel degelijk rekening houden met de seizoenen. Van november tot februari is de beste tijd om een bezoek te brengen aan Patagonië en Vuurland; in de herfst en lente heb je meer kans op regen en grijs weer. In de winter is het erg koud en ligt er veel ijs.

Gezondheid

Vaccinaties zijn niet verplicht. Vaccinaties tegen geelzucht (met name hepatitis A) en DTP worden wel aangeraden. De gezondheidszorg in Chili is behoorlijk goed ontwikkeld, dus daar hoef je niet bang voor te zijn. Ook drinkwater is op de meeste plaatsen goed gezuiverd. Desondanks, vooral in kleinere of meer afgelegen plaatsen, is het verstandig voorzichtig te zijn met het drinken van water uit de kraan of het eten van gewassen fruit.

Documentatie (selectie)

Naslagwerken

Agosín, Marjorie, Allende, Isabel et al., *Tapestries of hope, threads of love. The Arpillera movement in Chile, 1974-1994*. Albuquerque NM 1996.

Beerends, Hans, *Weg met Pinochet. Een kwart eeuw solidariteit met Chili*. Amsterdam 1998.

Borzutzky, Silvia; Oppenheim, Lois Hecht, *After Pinochet. The Chilean road to democracy and the market*. Gainesville FL 2006.

Casteren, Cees van, *Paradiso. De nieuwe wijnen van Chili*. Wormer 2006

Castillo-Feliú, Guillermo I., *Culture and customs of Chile*. Westport CT 2000.

Frazier, Lessie Jo, *Salt in the sand. Memory, violence, and the nation-state in Chile, 1890 to the present*. Durham NC 2007.

Hilbink, Lisa, *Judges beyond politics in democracy and dictatorship. Lessons from Chile*. New York NY 2007.

Huneeus, Carlos; Sagaris, Lake, *The Pinochet regime*. Boulder CO 2007.

Oppenheim, Lois Hecht, *Politics in Chile. Socialism, authoritarianism and market democracy*. Boulder CO 2007.

Poirot, Luis; Reid, Alastair, *Pablo Neruda. Absence and presence*. New York 1990.

Van Tilburg, Jo Anne, *Easter Island. Archaeology, ecology and culture*. Londen 1994.

Wright, Thomas C., *State terrorism in Latin America. Chile, Argentina, and international human rights*. Lanham MD 2007.

Zoon, Cees, *Het rode continent. De nieuwe leiders van Latijns-Amerika*. Amsterdam 2007.

Literatuur

Allende, Isabel, *Inés, vrouw van mijn hart*. Amsterdam 2006.
Liefde en schaduw. Amsterdam 1994.
Portret in Sepia. Amsterdam 2001.

Bolaño, Roberto, *Chileense nocturne*. Amsterdam 2004.

Bondou, A., *De tranen van de moordenaar*. Haarlem 2005.

Gelauff, P. *De verzwegen geschiedenis van de familie Manríquez*. Amsterdam 2006.

Neruda, Pablo, *Twintig liefdesgedichten en een wanhoopslied*. Bert Bakker, Amsterdam 1996

Skármeta, Antonio, *De dans van Victoria*. Breda 2006.
De postbode. Amsterdam 2002.

Reisboeken

Allende, Isabel, *Herinnering aan mijn Chili*. Amsterdam 2003.

Dorfman, Ariel; Commandeur, Sjaak, *Koers Zuid, richting Noord. Een reis in twee talen*. Amsterdam 1999.

Mejias, Gladys, *Morgen voor mij. Het openhartige verhaal van een Chileense vrouw die haar land moest ontvluchten*. Amsterdam 2005.

Reisgidsen

Bayer, Marcel; Kusters, M, *Chili Inclusief Paaseiland. Dominicus*. Haarlem 2008.

Bernhardson, Wayne, *Chile & Easter Island. Lonely Planet*. Hawthorn, Australië 1997.

Bernhardson, Wayne, *Santiago de Chile*. *Lonely Planet*. Hawthorn, Australië 2000.
Filippo, Henk, *Trektochten in Patagonië en Vuurland*, Dominicus Adventure. Haarlem 2005.
Graham, Melissa; Benson, Andrew; Franklin, Jonathan, *The rough guide to Chile*. Londen 2003.

Jacob, Stefan; Yusuf, Huma; Gornowski, Laura; Chen, Victor Tan, *Let's go Chile*. Londen 2003.
Roraff, Susan; Camacho, Laura, *Culture shock! Chile*. Londen 1998.

Met dank aan KIT Bibliotheek en Kenniscentrum Tropenmuseum. Meer via www.kit.nl/library.

Informatieve websites

www.echile.nl Uitgebreide en handige informatiebron van de Chileense ambassade in Nederland en Brussel, met achtergrond en vooral praktische informatie over handel met en investeringen in Chili.
www.sernatur.cl De meest uitgebreide officiële portaalwebsite voor toeristische informatie, ook in het Engels, met veel doorverwijzingen.
www.gochile.cl Engelstalige website met veel praktische informatie, over reismogelijkheden, arrangementen, vertrektijden (van bussen, boten bijv.)
www.conaf.cl De website van de Corporación Nacional Forestal, te vergelijken met Staatsbosbeheer, geeft veel informatie over de nationale parken en het beleid voor natuurgebieden. Spaanstalig.
www.serindigena.cl Fraai vormgegeven en uitgebreide informatiebron over de inheemse bevolking van Chili, hun cultuur, tradities, muziek, middelen van bestaan... Ook in het Engels!

www.ong.cl De portaalwebsite voor Chileense ngo's: onder meer doorverwijzingen naar natuur- en milieuorganisaties, vakbonden, vrouwenorganisaties en mensenrechtenorganisaties. In het Spaans.
www.accionag.cl De overkoepelende organisatie van 70 ngo's, die actief zijn op het gebied van de mensenrechten, sociale en economische kwesties.
www.chilebosque.cl en www.avesdechile.cl Twee goede websites over de flora en fauna.
www.memoriachilena.cl Gezamenlijke website van grote bibliotheken, archieven en musea in Chili, verenigd in de Dibam met veel achtergrond en feiten over literatuur, muziek, dans, theater en film. Zeer overzichtelijk opgezet. In het Spaans.
www.bibliotecasvirtuales.com Website geeft overzichtelijk informatie over de grootste Chileense schrijvers en hun werk; onder meer Pablo Neruda en Gabriele Mistral.

www.emol.com De digitale krant van El Mercurio, de grootste krant van het land. www.santiagotimes.cl/santiagotimes Engelstalig nieuws in het kort (gratis) en uitgebreid (voor abonnees); en ook handige reisinformatie.

www.noticias.nl Platform voor nieuws, achtergronden en discussie over Latijns-Amerika, met speciale aandacht voor mensenrechten, globalisering, milieu- en natuurvraagstukken, inheemse bevolking. Veel verwijzingen naar bronnen in Latijns-Amerika en dus ook Chili.

Nuttige adressen

Nederland

Ambassades
Ambassade van Nederland in Chili
Av. Apoquindo 3500, piso 13
Las Condes, Santiago
Tel: +56 2 756 9200
E-mail: Stg@minbuza.nl
www.holanda-paisesbajos.cl

Er zijn consulaten in alle grote steden.

Ambassade van Chili in Nederland
Mauritskade 51
Den Haag
Tel: 070-3123640
E-mail: echilenl@echile.nl
www.echile.nl
Er zijn Chileense consulaten in Amsterdam en Rotterdam.

België

Ambassades
Ambassade van België in Chili
Edificio Forum
Av. Providencia 2653, oficina 1103
Providencia/ Santiago
Tel: +56 2 232 1070
E-mail: Santiago@diplobel.orh
Website:
www.diplomatie.be/santiagonl

Er zijn ereconsulaten in Antofagasta, Concepción, Punta Arenas, Valparaiso.

Ambassade van Chili in België
Rue Montoyer 40
Brussel
Tel: 02 280 1620/5020
embachile@embachile.bemail:
www.embachile.be